Le retour du chiffonnier

suite du livre
Le plus grand miracle du monde

Distribution:

Pour le Canada:

Les Éditions Flammarion/Socadis
375, avenue Laurier Ouest
Montréal (Québec)
H2V 2K3
Tél.: (514) 277-8807 ou (514) 331-3300

Pour la Belgique:

Vander, s. a.
321, Avenue des Volontaires
B-1150 Bruxelles, Belgique
Tél.: (32-02) 762-9804

Pour la France:

Dilisco
122, rue Marcel Hartmann
94200 Ivry-sur-Seine
Paris (France)
Tél.: (1) 49 59 50 50

Diffusion Transat s.a.
Route des Jeunes, 4ter
Case postale 1210
CH-1211 Genève 26
Tél.: (022) 342-7740

Dépôts légaux: 2e trimestre 1992
Bibliothèque nationale du Québec
Bibliothèque nationale du Canada

Conception graphique de la couverture:
SERGE HUDON

Version française:
MESSIER & PERRON INC.

Photocomposition et mise en pages:
COMPOSITION MONIKA, QUÉBEC

ISBN 2–89225-192-3
Imprimé au Canada

Og Mandino

Le retour du chiffonnier

(suite du livre)
Le plus grand miracle du monde

Les éditions Un monde différent ltée
3925 Grande-Allée
Saint-Hubert (Québec)
Canada J4T 2V8
(514) 656-2660

Cet ouvrage a été publié en langue anglaise sous le titre original:
THE RETURN OF THE RAGPICKER
Published by Bantam Books
Copyright © 1992 by Og Mandino

© Les éditions Un monde différent ltée, 1992
Pour l'édition en langue française

Dépôts légaux: 2ᵉ trimestre 1992
Bibliothèque nationale du Québec
Bibliothèque nationale du Canada
Bibliothèque nationale de France

Deuxième impression, 1994

Conception graphique de la couverture:
SERGE HUDON

Version française:
MESSIER & PERRON INC.

Photocomposition et mise en pages:
COMPOSITION MONIKA, QUÉBEC

ISBN: 2-89225-192-3

À Matt et Lori Mandino
avec amour

Notre destin est plus grand que celui de la Terre. Il existe un univers où l'arc-en-ciel ne pâlit jamais, où les étoiles s'étalent devant nous comme des îles sur l'océan, et où les êtres qui défilent devant nos yeux, comme des ombres, demeureront à jamais en notre présence.

Edward George Bulwer Lytton

Un message spécial de Og Mandino

Le vieux et mystérieux chiffonnier, Simon Potter, disparaissait à la fin de mon livre *Le plus grand miracle du monde...*[*]

Me serais-je attendu à écrire de nouveau à son sujet, dans un ouvrage futur? La réponse que j'ai donnée pendant plus de 15 ans, lors de centaines d'interviews et dans ma correspondance à des milliers de lettres: «Improbable.»

Vous tenez donc actuellement entre les mains un livre que je n'avais pas prévu écrire. Si, comme l'écrivait Ralph Waldo Emerson, la vie est une succession de surprises, le livre que vous êtes sur le point de lire constitue à coup sûr une surprise majeure dans une carrière qui en a vu bien d'autres.

Au cours du dernier quart de siècle, ma vie a été jalonnée de plus de chances et de bonheurs qu'un être humain ne peut en mériter.

---

[*] Publié aux éditions Un monde différent ltée sous format de livre.

Aux côtés de la femme que j'aime, j'ai connu à la fois la faim et la richesse, la douleur et la joie, et j'ai vu avec fierté mes deux fils devenir des hommes, contracter des mariages heureux et entreprendre des carrières prometteuses.

J'ai été reçu au sein du International Speakers Hall of Fame (du Temple de la Renommée des conférenciers internationaux), où m'a été remise la médaille d'or Napoleon Hill qui souligne l'excellence littéraire, et j'ai lu avec fierté ma biographie dans Who's Who in the World.

Le plus important a été la réalisation de mon rêve d'enfance et de celui de ma mère: devenir écrivain. Le fait que j'aie cheminé sur des voies difficiles et que j'aie connu des ennuis sérieux avant de réaliser ce but que nous chérissions, j'en suis le seul et unique responsable.

Avec le recul, je me rends compte que mes échecs du début, mon désespoir et ma pauvreté m'ont été beaucoup plus précieux que toutes les études universitaires que j'aurais pu faire. Depuis 1966, les 14 ouvrages que j'ai écrits, qui portent tous sur le véritable sens de la réussite et du bonheur, et qui indiquent comment capturer ces insaisissables oiseaux, se sont vendus à plus de 25 000 000 d'exemplaires en 18 langues, de Tokyo à Rome, de Johannesburg à Sydney, de Mexico à Stockholm! Et l'un d'eux, *Le plus grand vendeur du monde*[*] a décroché le titre envié du meilleur succès de librairie de tous les temps, dans le domaine de la vente, du monde entier! Le rêve est réalisé!

---

[*]   Publiés aux éditions Un monde différent ltée sous format de livre ou de cassette audio.

Et pourtant, malgré toutes ces ventes et malgré l'attention dont a fait l'objet *Le plus grand vendeur du monde, suite et fin**, au cours des années, un autre de mes livres, *Le plus grand miracle du monde* a toujours généré beaucoup plus de courrier, depuis sa publication en 1975, que tous mes autres livres réunis!

*Le plus grand miracle du monde** est le récit de l'amitié spéciale qui me liait à un géant aux cheveux longs, Simon Potter, qui se qualifiait de chiffonnier parce qu'il passait tout son temps à venir en aide aux êtres humains rendus au bout de leur rouleau. Notre première rencontre accidentelle a eu lieu dans le parc de stationnement de l'immeuble où j'avais mon bureau, à l'époque où je dirigeais le magazine Success Unlimited à Chicago, et peu après je lui rendais visite presque tous les soirs à son appartement situé en face de mon bureau, avant de rentrer chez moi, en banlieue.

Pendant plusieurs mois mémorables, il a partagé avec moi son sherry (xérès), sa sagesse et sa compassion. Et ses conseils avisés ont à jamais transformé ma vie... pour le meilleur. Puis, un jour, il est disparu sans laisser de traces. Étrangement, aucun locataire de son immeuble ne l'a reconnu ou n'a admis le connaître, pas même les occupants de son ancien appartement, qui affirmaient être là depuis quatre ans! On aurait dit que Simon n'avait jamais existé que pour moi! Son cadeau de départ,

---

*	Publiés aux éditions Un monde différent ltée sous format de livre ou de cassette audio.

que j'ai trouvé par la suite sur mon bureau, est un texte puissant qu'il a écrit, intitulé *Le mémorandum de Dieu**, un document comportant quatre principes à suivre pour vivre une vie mieux remplie. J'ai livré ce «mémorandum» à tous mes lecteurs dans le livre, et ils ont réagi!

L'essence de leurs messages dans ce qui, au cours des ans, a été une avalanche continuelle de lettres portant sur *Le plus grand miracle du monde*, est résumée dans les quelques extraits suivants tirés du courrier reçu:

«Il y a un an à peine je m'apprêtais à me suicider. Vos paroles et celles de votre ami, le chiffonnier, dans *Le plus grand miracle du monde* m'ont sauvé la vie. Aujourd'hui, je puis honnêtement affirmer devant tous que je suis le résultat d'un miracle. Pas parce que je suis sobre, mais parce que je suis vivant. Aujourd'hui, ma vie est remplie de sérénité et de joie, et vos paroles m'ont aidé à passer à travers mes journées d'enfer...»

* *
*

«Je vous dois tellement. Au cours de l'été de 1983, peu après mon divorce, j'étais assis sur une plage de Californie et je lisais *Le plus grand miracle du monde*, les larmes aux yeux. Ma vie reposait sur vous et votre merveilleux chiffonnier, Simon Potter...»

---

* Publié aux éditions Un monde différent ltée sous format de livre ou de cassette audio.

* *
*

«Depuis 12 ans, je travaille auprès de garçons dépendants, négligés et délinquants, âgés entre 7 et 17 ans, et pour lesquels j'ai pu être l'un des chiffonniers de Dieu, comme le Simon Potter de votre précieux ouvrage...»

* *
*

«Je désire vous exprimer ma gratitude pour l'inspiration et l'amour que vous projetez dans tous vos livres. Chaque fois que je veux me remonter le moral, je consulte *Le plus grand miracle du monde*. Il me suffit de lire ces magnifiques paroles pour savoir que je peux surmonter toutes mes difficultés, et souvent j'en remets des exemplaires à des amis aux prises avec des problèmes...»

* *
*

«Je n'ai que 12 ans et déjà j'avais l'impression que ma vie n'avait plus de sens. Merci beaucoup pour votre livre sur le vieux chiffonnier. Je crois que je suis de nouveau sur la bonne voie, grâce à votre livre, et presque tous les gens que je connais m'aiment. Cela me procure un sentiment vraiment agréable...»

* *
*

«Jamais je n'oublierai le chiffonnier...»

Un vieil ami texan, qui louait mon travail, il y a plusieurs années, à l'occasion d'un dîner, m'annonça fièrement qu'il avait enfin découvert le secret de ma réussite. Il disait que j'avais réinventé la parabole, ce bref récit qui illustre une attitude morale ou un principe religieux. Il était sans doute plus près de la vérité que tous les chroniqueurs littéraires.

Le vieux chiffonnier, Simon Potter, a-t-il jamais existé, ou s'agit-il d'une histoire aussi, d'une parabole moderne, comme tant de mes autres livres? À tous ceux qui ont posé cette question sous une forme ou une autre, dans des lettres, ou à l'occasion d'interviews à la radio, à la télévision ou dans les journaux, j'ai toujours répondu et je répondrai toujours la même chose: «Voyez l'Évangile de saint Jean (4,48). Jésus lui dit: «Si vous ne voyez signes et prodiges, vous ne croirez donc pas!»»

Il n'y a jamais eu et il n'y aura jamais une autre explication... ni pour *Le plus grand miracle du monde* ni pour la suite que vous tenez actuellement entre les mains.

Que vous ayez connu Simon Potter, il y a plusieurs années, dans *Le plus grand miracle du monde*, ou que vous soyez sur le point de faire sa connaissance dans les pages qui viennent, je vous souhaite la bienvenue en vous embrassant et en murmurant à votre oreille. Ne perdez aucun temps précieux à chercher sur une carte la ville de Langville, au New Hampshire, lieu où se déroule ce récit, vos efforts seront vains. Par respect pour ses habitants yankees, gens fiers, têtus et travailleurs, qui ont déjà assez de difficultés à tolérer les touristes, sans parler des curieux, j'ai modifié la description de tous les points d'intérêt aisément identifiables et j'ai changé le nom de ce merveilleux hameau de verdure et de granit, où se déroule mon récit.

J'espère ardemment qu'une fois que vous aurez lu la dernière phrase de la dernière page de ce livre, vous aussi vous soupirerez un peu et direz: «Jamais je n'oublierai le chiffonnier...»

Que demander de plus?

Og Mandino
New Hampshire

Le vieillard se rassit sur le muret de pierre et posa doucement sa main sur mon genou. «Monsieur Og, ce n'est pas le hasard qui nous a réunis après toutes ces années de séparation. Nous l'avons été dans un but spécial, et puisque nous sommes tous des instruments du ciel, je suis persuadé que vous avez été conduit ici non par hasard, mais en réponse à mes prières...»

— I —

Il n'est jamais facile de reprendre les heures perdues, et presque impossible de reprendre les jours perdus. Presque.

Comme elle l'a fait si souvent pendant toutes les années que nous avons passées ensemble, Bette lisait sans doute dans mes pensées. Pendant qu'elle conduisait avec adresse le long et luxueux véhicule à travers une intense circulation, elle sourit et dit: «Eh bien, mon mari, comment trouves-tu ta première balade dans une machine à voyager dans le temps?»

Sa question ne me surprit même pas. Je me bornai à lui mettre la main sur le genou et à dire: «Jusqu'ici tout va bien, madame. Je suis heureux de vous avoir écoutée.

— Et moi donc!»

La nuit tombait, mais le ciel était encore constellé de traînées de rose et de cuivre alors que nous nous dirigions vers la frontière du New Hampshire sur l'autoroute 93. Bette menait la Lincoln de couleur bleue que nous venions de louer à l'aéroport Logan de Boston à notre arrivée de

Phœnix. Nous restions plutôt silencieux, même en voyant défiler des sites familiers du passé, tout au long de ce qui devenait pour nous deux un voyage unique dans une autre dimension. Thomas Wolfe avait déjà écrit un excellent roman sur le thème qui veut que l'on ne puisse jamais retrouver son passé en retournant dans son pays d'origine; mais après plus de 30 ans, Bette et moi retournions brièvement dans cette région spéciale de la Nouvelle-Angleterre où nous nous étions rencontrés, nous étions tombés amoureux et nous nous étions mariés pour commencer notre vie commune.

Tout avait commencé au cours d'un repas, un jour où j'avais tout bonnement mentionné que notre amie Cheryl Miller, qui a toujours été mon unique agente responsable de mes conférences, m'avait trouvé un contrat pour la fin de juin: je devais donner une conférence au Hynes Convention Center de Boston.

«Parfait!» s'exclama-t-elle. «Je vais t'accompagner.»

Surpris, je la regardai. Elle m'accompagnait rarement à l'occasion de mes conférences, sauf dans les endroits particulièrement exotiques.

«Je n'ai pas parlé des Bermudes, de Sydney ou d'Acapulco, chérie. Je m'en vais à Boston.»

— J'ai entendu... et je t'accompagne.

— Pourquoi?

— Tu me demandes pourquoi? Tu ne te rappelles pas la promesse que tu as faite à nos fils à Noël, l'an dernier?»

Je ne me rappelais pas.

«Og, pendant les années où Dana et Matt grandissaient, d'abord en Illinois, puis en Arizona, nous parlions toujours de les emmener à Langville et à certains des autres endroits du New Hampshire où nous avons des souvenirs spéciaux. Eh bien, cela ne s'est jamais produit. Il y avait toujours un Disney World, une villa au Michigan sur le lac Whitehall ou des éliminatoires de la petite ligue de base-ball qui avaient la priorité, les vacances venues. Et plus tard, lorsque les garçons sont allés à l'université puis se sont mariés, il est devenu de moins en moins possible pour toute la famille de faire le voyage. Pourtant, l'un et l'autre ont toujours été fascinés par nos récits et nos descriptions de ce pays paisible et merveilleux où tout a commencé pour nous.»

«Maintenant, je me rappelle ma promesse. L'an dernier à Noël, lorsque j'ai reçu la caméra vidéo Sony qu'ils m'ont offerte tous les deux — cadeau que je voulais par-dessus tout — ils n'ont pas été très subtils en me suggérant d'utiliser mon nouveau jouet d'adulte pour filmer à leur intention des images des lieux spéciaux où toi et moi avons passé nos premières années ensemble.»

Ma femme applaudit et me dit sur un ton moqueur: «Eh bien, voici l'occasion rêvée, monsieur l'écrivain! Tu dois prendre la parole à Boston samedi...?»

J'acquiesçai. «Samedi matin, à 10 ou 11 h».

«D'accord. Nous irons en avion mardi, nous louerons une automobile, nous roulerons vers le nord et nous mettrons vraiment ta caméra à l'épreuve pendant trois jours; espérons que nous pourrons tourner des images nombreuses de notre passé.» Je serai la narratrice. Tu pourras tourner pendant que je raconterai aux garçons ce qu'ils voient. Qu'en dis-tu?»

Je haussai les épaules. «Je ne sais pas. Après toutes ces années, Langville pourrait être très décevante pour nous, et surtout pour les garçons lorsqu'ils verront enfin les lieux dont nous leur avons tant parlé. Lorsqu'il est question de notre passé, nous, les êtres humains, semblons avoir oublié les mauvais souvenirs pour donner une importance exagérée aux bons souvenirs. Peut-être devrions-nous laisser cette partie de notre vie derrière nous, en se limitant à penser que le conte de fées et l'histoire d'amour se sont réalisés, Dieu merci!

Bette savait précisément comment me prendre. «Au cours des ans, Og, nous avons toujours respecté les promesses que nous avions faites aux garçons.»

Que pouvais-je dire? Je réservai deux places aller retour pour Boston.

Nous avons passé notre première nuit au New Hampshire dans un Ramada Inn sur la rue principale de Concord. Le lendemain matin, après le petit déjeuner, il nous a suffi de franchir à pied quelques pâtés de maisons pour entreprendre notre remontée dans le passé au sein de la capitale, en tournant des images de quatre amis plus grands que nature qui n'avaient pas du tout vieilli depuis que nous les avions vus la dernière fois. Il y avait d'abord la haute statue de granit du colonel (plus tard devenu général) John Stark qui avait dirigé les troupes du New Hampshire à Bunker Hill, et à qui nous devons la phrase: «Vivre libre ou mourir.» Il y avait aussi Daniel Webster, sénateur, secrétaire d'État, l'homme le plus éloquent de son époque; John Hale, délégué en Espagne, sénateur et abolitionniste; et Franklin Pierce, quatorzième président des États-Unis. Je me suis retourné vers l'immeuble du Capitole et j'ai fixé sur la pellicule ses gracieuses colonnes et sa tour dorée alors que Bette, qui était bien préparée, annonçait qu'il s'agissait du plus vieux Capitole de la nation où l'assemblée législative siégeait toujours dans les locaux originaux. J'ai ajouté que Concord était l'une des plus petites capitales de notre nation, avec une population dépassant à peine 30 000 habitants!

Lorsque nous avons pris congé du Ramada Inn pour rouler lentement sur la rue principale, nous étions déjà dans un état de demi-torpeur. «Rien n'a changé, Og», murmura Bette. «Plus de 30 ans se sont écoulés et rien n'a changé! Oh, les noms de certains magasins sont différents et ont besoin d'une bonne couche de peinture, mais dans l'ensemble tout est semblable et les vieux immeubles en briques rouges ont conservé les pâles enseignes de leurs murs de côté. C'est aussi pittoresque qu'à l'époque où nous allions faire des emplettes avec Dana dans sa poussette. Je n'arrive pas à le croire!»

Nous nous sommes rendus sur Oak Street et nous avons filmé le vieil immeuble victorien de couleur grise où nous avions eu notre premier appartement après notre mariage. Puis nous sommes allés sur South Main pour tourner des images du vieux cinéma Capitol, maintenant fermé, dont les programmes doubles étaient à peu près les seuls spectacles que nous pouvions nous offrir. Avant la fin de cette longue journée nostalgique, nous avions aussi tourné des images du village Shaker au Canterbury Center, de Newfound Lake, où Bette et moi avions souvent pique-niqué, et de Echo Lake à la surface duquel se reflète le Franconia Notch.

Le jeudi nous avons tenté de capter la saveur de l'unique port de mer du New Hampshire, Portsmouth, tel que nous nous le rappelions. Aucune difficulté. Les vieilles maisons georgiennes se dressaient encore avec fierté et majesté le long des rues bordées d'arbres conduisant à l'océan, où de vieux remorqueurs se côtoyaient près de Ceres Street. Puis, nous nous sommes rendus à Hampton Beach pour un hot-dog et un soda, et nous avons retiré nos espadrilles et nos chaussettes, puis nous avons marché dans le sable blanc en respirant encore une fois l'air salin. Bette avait les larmes aux yeux lorsque nous sommes partis vers l'ouest et, en route pour Peterborough, elle a dit en soupirant: «J'avais complètement oublié à quel point tout est merveilleux, paisible, calme et vrai ici. J'imagine qu'il n'était pas facile d'apprécier toutes les grandes qualités de cet État, à l'époque où nous avions tant de mal à payer le loyer chaque semaine.»

Je me rapprochai d'elle: «Te souviens-tu du coût du loyer?»

Elle se mordit la lèvre inférieure et dit: «Quinze dollars.»

Ensuite, j'ai tourné des images du quartier des affaires de Peterborough et de ses bancs publics alors que Bette expliquait que Thornton Wilder s'était inspiré de ce décor pour son drame classique intitulé Our Town. À notre arrivée à Keene, nous étions fatigués mais nous avons trouvé assez d'énergie pour filmer les gens qui saluaient et souriaient pendant notre traversée de notre pont couvert favori sur la rivière Ashuelot, avant de rentrer au Winding Brook Lodge pour nous restaurer et dormir. Nous n'avons eu aucune difficulté à manger, mais pour le sommeil c'était moins facile. Les gens, les mélodies, les visages et les paroles d'antan au New Hampshire nuisaient à mon sommeil... John F. Kennedy, Arnold Palmer, Gigi, Floyd Patterson, Dwight D. Eisenhower, Chubby Checker, The Sound of Music, J.D. Salinger, Suger Ray Robinson, Khrouchtchev, Exodus, Charles Van Doren, Goldfinger, Mickey Mantle, The Agony and the Ecstasy...

Le lendemain matin, en roulant vers notre destination finale, Langville, je braquais ma caméra à travers le pare-brise de la Lincoln de location alors que nous progressions sur la route sinueuse à deux voies, bordée de murs de pierre, de fougères et de fleurs sauvages. Bette faisait sa narration d'une voix forte, ajoutant à ce qu'elle savait déjà des renseignements qu'elle venait de puiser à même les brochures touristiques du New Hampshire que lui avaient fait parvenir nos vieux amis Cecil et Flossie White, qui vivaient près de Chichester.

Selon Bette, la population de Langville avait été de 1 200 habitants environ en 1930, et elle estimait qu'elle avait tout au plus doublé au cours des 60 dernières années. La ville, ajoutait-elle, comptait cinq cimetières, quatre églises, trois garages, deux restaurants et une épicerie. Pas mal, se disait-elle. Sur la rive est de la rivière Carlyle qui divisait le centre de la ville, il y avait déjà eu une usine, mais depuis la Seconde Guerre mondiale, le centre des affaires et le gouvernement municipal se retrouvaient à moins d'un kilomètre de la rue principale. Nous avons stationné sur cette rue, devant la vieille bibliothèque de briques rouges, et nous nous sommes assis en silence la main dans la main.

«Exactement comme à Concord, Og», dit Bette d'une voix basse. «On dirait que nous sommes partis hier matin, et non il y a toutes ces années. Les noms de certains magasins sont différents, mais c'est tout. Les immeubles, les couleurs, les sons, exactement comme nous les avons laissés.»

En continuant à tourner, nous sommes lentement passés devant le Langville Inn, le Robert's Hardware Store, un vieil immeuble colonial qui, aux dires de Bette, avait déjà abrité le bureau de la compagnie de téléphone, et un immeuble en bois de deux étages qui logeait l'hôtel de ville, le bureau des élus, le bureau de poste et le poste de police. Nous avons ensuite traversé la rue vers la Langville Savings Bank et son immense enseigne annonçant que les contributions étaient acceptées, à l'intérieur, pour la nouvelle ambulance de la ville.

J'ai braqué la caméra vers l'est, le long de la rue principale, et, grâce au téléobjectif, j'ai filmé des maisons appartenant à cinq époques architecturales: coloniale, de la colonie du Cap, fédérale, georgienne et victorienne. Toutes semblaient attendre de riches retraités de la grande ville pour être converties en pittoresques auberges. Nous avions en fait voyagé dans le temps, ce qui nous remplissait à la fois de joie et de mélancolie.

De retour dans la voiture, nous nous sommes rendus à l'imposante maison de Jefferson Avenue où ma femme avait grandi. J'ai alors tourné des images du vaste immeuble de bois, aujourd'hui devenu un immeuble de rapport, où Bette avait étudié pendant 12 ans, pour terminer ses études dans une classe de 11 élèves. Elle avait été membre de Grange, et nous avons dû gravir Bear Hill pour tourner de bonnes images de Grange Hall, où elle avait passé tant de belles heures à rendre service à ses semblables.

Nous sommes revenus à la rue principale et, après avoir stationné l'auto, nous nous sommes rendus aux terrains de l'église, avec géraniums et monument à la Guerre civile, pour la scène finale de notre film. Après plusieurs tentatives, j'ai finalement obtenu une image qui me semblait exceptionnelle. La longue flèche blanche de la vieille et imposante église reposait entièrement sur un fond d'érables noirs, tout cela dans un ciel sans nuages de couleur bleu poudre. Bette se tenait tout près, sa main droite posée sur mon épaule.

«Nous avons presque fini, madame», lui dis-je, sans cesser de tourner.

«J'espère bien», dit Bette d'une voix quelque peu fatiguée. «Nous avons sans doute plus de pellicule que pour Guerre et Paix.

— Prête?

— Action, Spielberg!» dit-elle avec un soupir.

J'ai appuyé sur la détente et Bette se rapprocha de la caméra et de son petit microphone.

«Eh bien, les enfants, Barbra Streisand devrait sans doute chanter «The Way We Were» pendant cette précieuse scène, car vous voyez actuellement cette église très spéciale, ici à Langville, où votre père et moi, nous nous sommes mariés, un soir gris et froid de décembre, il y a très longtemps. Vous avez aussi été baptisés ici tous les deux, même si toi, Matt, tu es né alors que nous habitions l'Illinois, car ton père dirigeait le magazine de W. Clement Stone, *Success Unlimited*, même s'il n'avait pas encore écrit son premier livre. La route a été longue pour venir te faire baptiser, Matt, mais ça valait la peine de faire en sorte d'avoir toutes nos racines familiales dans ce même merveilleux village de verdure...»

Bette resserra sa main sur mon épaule et je cessai de tourner. Elle avait à nouveau les larmes aux yeux. Elle respira profondément et dit: «Ça va, chéri, finissons-en avec cela.

— Suis moi», dis-je, et nous nous sommes rapprochés de l'imposant monument élevé à la guerre en 1892. J'ai fait une mise au point aussi précise que possible sur la plaque de bronze commémorative au-dessous du fier soldat:

À LA MÉMOIRE DES HOMMES DE LANGVILLE QUI, SUR TERRE ET SUR MER, SE SONT BATTUS POUR LA LIBERTÉ, L'UNION ET L'ÉGALITÉ DES DROITS POUR TOUS, ET QUI ONT DONNÉ LEUR VIE POUR QUE LES GÉNÉRATIONS FUTURES PUISSENT EN PROFITER.

«Alors voilà, les garçons», dit Bette d'une voix hésitante. «Vous venez de voir une partie du New Hampshire de même que nos vieux quartiers, et peut-être comprendrez-vous enfin pourquoi nous avons tant aimé notre vie ici. Votre père et moi espérons que vous avez apprécié cette incursion dans nos souvenirs autant que nous avons eu de plaisir à partager tout cela avec vous. Nous vous aimons. Que Dieu vous bénisse tous les deux!»

Le clocher de l'église a sonné midi. Ma conférence à Boston était prévue pour dix heures le lendemain matin. Nous nous sommes tournés l'un vers l'autre sans dire un mot et nous nous sommes dirigés à contrecœur vers la voiture. Plus tôt, nous avions décidé, pour éviter la circulation de la fin d'après-midi à Boston, que nous entreprendrions notre voyage de retour, d'une durée de deux heures, immédiatement après le lunch.

Tels étaient nos projets...

— II —

«Bouleau blanc!»

«Frêne!»

«Pêcher!»

Sa voix tremblante avait une qualité et une force que je n'avais jamais entendues, un mélange de joie et d'impatience, de surprise et de tristesse, de petite fille et de femme, de regrets et d'anticipations.

«Sumac!»

«Érable rouge!»

J'étais à peu près certain de savoir ce que Bette faisait, alors je gardais le silence pendant qu'elle circulait lentement à travers un secteur particulièrement boisé de Langville après notre repas dans le seul restaurant de l'endroit où l'on pouvait manger assis, au bord de la sinueuse rivière Carlyle. Elle m'avait déjà parlé d'un jeu de son enfance, auquel elle jouait avec son oncle Bill quand ils roulaient dans sa camionnette: il s'agissait de voir combien de types d'arbres ils pouvaient identifier chemin faisant. Et ma femme ne revivait pas uniquement son enfance: elle s'efforçait de toute évidence d'éviter que le rideau ne retombe.

Nous avions longé une rue grise et goudronnée qui devait nous conduire à l'extérieur de la ville, sur l'autoroute de Boston en direction sud. Le chemin cahoteux sillonnait capricieusement la campagne, et nous apercevions de temps à autre une ferme isolée, avec sa grange chancelante à la peinture écaillée. Nous montions peu à peu, et nous avons finalement atteint une fourche; nous avons pris à gauche, où un panneau indiquait les mots «Old Pound Road.»

Bette eut un geste: «Tu n'as jamais vu ce secteur de ma ville lorsque nous étions ici, il y a plus de 30 ans, n'est-ce pas?»

— Je ne crois pas. Rien ne m'est familier en tout cas. Et cette route sur laquelle nous sommes: Old Pound Road. Qu'est-ce que ça signifie?»

— Tu ne devineras jamais. Attends de voir. Qui sait, c'est peut-être quelque chose que tu pourras utiliser dans un de tes livres un jour.»

Avec un soupir, j'ai fait un geste pour consulter mon oméga.»

«Ne t'inquiète pas, Og!» Maintenant elle semblait ennuyée. «Nous prendrons la route de Boston très bientôt. Ils ne nous attendent pas avant ce soir, alors nous avons tout notre temps. Adosse-toi et détends-toi pendant les prochaines minutes, et je t'aiderai à résoudre le mystère de Old Pound Road.»

Je me suis penché vers elle et je l'ai embrassée sur la joue. Puis j'ai abaissé ma vitre, j'ai pris ma caméra et je me suis mis à tourner des images du florilège de couleurs et d'ombres à ma droite. Un soleil ardent formait de douces colonnes d'or pâle dans l'éventail des arbres que bordaient des buissons et des hauts rochers de granit recouverts de mousse, échelonnés au large de la côte des deux côtés de l'étroit chemin.

La caméra tournant toujours, je dis: «Bette, j'avais oublié tous ces murs de pierre que l'on retrouve ici, en Nouvelle-Angleterre.

— Es-tu prêt à entendre une super anecdote?

— Raconte!

Mon père m'a raconté qu'il y a longtemps un politicien de Langville avait estimé qu'il y avait plus d'un millier de kilomètres de murs de pierre dans cette ville seulement, et selon cet homme, il s'agissait d'une importante réalisation, la Grande Muraille de Chine n'ayant que 3 000 km de longueur!»

Je secouai la tête. «Fascinant. Il faudrait deux hommes forts pour soulever la plupart des pierres, et des milliers d'entre elles ont été retirées des champs et des clairières pour former ces murs, longtemps avant que n'existent les tracteurs et les rétrochargeuses. Nous devons tout cela à des familles qui se sont chargées de leur petit coin d'univers. Des gens bien travailleurs!»

Soudain, Bette freina assez brutalement pour que je remercie le ciel d'avoir porté ma ceinture. Après avoir immobilisé la voiture dans un bruit d'enfer, elle passa en marche arrière, recula lentement sur une distance de 6,10 m environ puis coupa le contact.

«Les arbres sont maintenant tellement grands et les buissons si denses que je l'ai presque raté», dit-elle en ouvrant la portière et en descendant. Je l'ai rejointe, elle a passé son bras autour de ma taille et m'a dit: «Voilà le vieil enclos, Og. Comme tu peux le voir, ce n'est qu'un autre mur de pierres de granit, d'environ 1 m de hauteur, mais cette section du mur comporte aussi des côtés qui ont à peu près la même hauteur et qui s'étendent sur près de 12 m jusqu'à un mur arrière, pour former un carré, avec une ouverture derrière qui permet d'y entrer. Tu observeras aussi que l'on a creusé l'intérieur, où le sol est 0,60 m plus bas que l'endroit où nous nous trouvons.»

Sur un gros rocher plat, nous faisant face directement, on apercevait une plaque de bronze recouverte d'une patine verte sur laquelle on pouvait lire:

ENCLOS MUNICIPAL

CONSTRUIT EN 1817,

RESTAURÉ EN 1948

PAR

LE CHAPITRE LIZZY SIDES

DES FILLES DE LA RÉVOLUTION AMÉRICAINE

«Il y a près de 200 ans, a poursuivi Bette avec des intonations de guide touristique, ce secteur était le centre du village et les habitants ont construit cet enclos à l'usage de tous. En général, un enclos, comme vous le savez, sert à parquer les animaux égarés ou non marqués. Eh bien, c'est à cela que servait ce vieil enclos de pierre. Lorsqu'une bête s'aventurait à l'extérieur de son pâturage, quiconque la trouvait l'amenait ici, la faisait entrer par l'ouverture que l'on aperçoit ici puis bloquait l'entrée à l'aide de quelques lourdes pierres pour éviter que la bête ne s'échappe. Par la suite, lorsque le propriétaire de la bête constatait sa disparition, cet enclos était toujours le premier endroit où il dirigeait ses recherches. Cet enclos n'est-il pas merveilleux, compte tenu de son âge? Et, bien sûr, la ville ou un groupe intéressé entretient constamment cet enclos pour éviter que ne s'y accumulent la végétation ou les détritus. Og? Og, est-ce que ça va?

— Ça va», ai-je répondu en respirant profondément.

Bette fronça les sourcils, se rapprocha et me regarda dans les yeux: «Tu es pâle.

— Je vais bien. Je ressens simplement cette vieille sensation familière. Je n'arrive jamais à la décrire exactement. C'est de la fascination, de l'émerveillement, des vibrations quelconques, si tu veux, qui semblent se manifester chaque fois que je suis près d'un important vestige du passé. Walter Whitman a déjà dit qu'il s'agissait d'un instinct particulier aux artistes, aux écrivains et aux compositeurs. Je ne sais pas. Tu m'as vu vivre cela à plusieurs reprises déjà... lorsque nous avons visité la chapelle Sixtine, la fois où nous avons allumé un lampion à Notre-Dame, celle où nous avons ramassé de l'herbe sur le 18e parcours de Saint-Andrews, celle où nous avons gravi l'étroit escalier menant à la petite cachette d'Anne Frank à Amsterdam, la fois où nous nous sommes approchés autant que nous le pouvions des Tournesols de Van Gogh, celle où nous avons regardé, les larmes aux yeux, les vestiges de la prison Mamertine à Rome où Pierre et Paul ont vécu leurs dernières heures sur terre. Je ne peux l'expliquer, chérie, et jamais je n'ai trouvé qui que ce soit qui le pouvait. Peut-être est-ce l'émotion et que l'adrénaline provoque cette sensation de choc électrique. Je ne sais pas. Je ne sais pas.

— Et tu ressens cela ici?» demanda Bette avec incrédulité. «Tu ressens des vibrations provenant de ce vieil enclos?

— Oui, et la date de sa construction, sur cette plaque, un autre choc!

— Pourquoi? Qu'est-ce que l'année 1817 a de particulier?»

J'ai souri et j'ai secoué la tête. «Tu sais à quel point j'ai du mal avec les dates. Je raterais les anniversaires de tout le monde si tu n'étais pas là, et je raterais le tien, sans compter notre anniversaire de mariage, si ce n'était de ta mère. Et pourtant, l'année 1817 occupe une place spéciale dans mon cœur.»

Bette haussa les épaules en signe d'impuissance. «D'accord... je donne ma langue au chat.

— Mon auteur préféré de tous les temps? La personne de laquelle je consulte toujours les écrits et les idées quand je veux échapper au monde extérieur et me retrouver? Le guide qui m'a convaincu par ses paroles et son exemple qu'une promenade sous les pins silencieux était plus précieuse qu'une ovation de milliers de gens...

— Henry David Thoreau?

— Au cours de l'année où l'on construisait cet enclos, l'homme dont la philosophie de vie a eu la plus grande influence sur ma pensée à l'exception du Christ, Henry David Thoreau, venait au monde à 97 km environ au sud de ce lieu, dans cet autre Concord... celui du Massachusetts.»

La main posée sur sa bouche, Bette demeurait silencieuse. Je me penchai et frottai doucement une petite pierre recouverte de mousse se trouvant au faîte du mur, me rappelant combien de fois, dans mes écrits et lors de mes conférences, j'avais insisté pour dire que Dieu joue constamment aux échecs avec nous, jouant des coups dans notre vie, puis attendant de voir notre réaction. S'agissait-il d'un autre des coups de Dieu?

Plutôt que de rouler à toute vitesse sur l'autoroute Everett en direction du Massachusetts, pourquoi nous trouvions-nous sur ce paisible chemin de campagne en train de visiter un vieil enclos portant une plaque avec l'inscription de l'année de la naissance de Henry David Thoreau? Coïncidence? Ou n'était-ce que l'écrivain en moi qui exagérait l'importance d'un incident somme toute anodin? Je serrai doucement le bras de ma femme et je dis: «Merci de m'avoir montré cette précieuse relique du passé de Langville.»

Alors que nous regagnions la voiture, Bette s'exclama brusquement: «Voilà bien une route que je n'ai jamais empruntée!»

Perpendiculairement à Old Pound Road, un chemin de sable, d'une largeur n'excédant pas deux longueurs de voiture, s'enfonçait sous les arbres sur plusieurs centaines de mètres avant de disparaître en amorçant une pente. À quelque distance de l'endroit où nous nous trouvions, on apercevait un poteau de métal rouillé de 1,22 m environ, quelque peu incliné, portant un panneau d'un blanc douteux sur lequel on pouvait lire, en lettres d'un bleu délavé: «Blueberry Lane.» Appuyé sur le poteau se trouvait une enseigne métallique, presque aussi haute, avec une flèche surmontant les mots «*À vendre*» en orange clair. À en juger par la condition de l'enseigne, elle n'avait pas longtemps été exposée aux éléments du New Hampshire.

«Qu'est-ce qui pourrait être à vendre dans ce coin?» pensa Bette à voix haute. «Allons voir.»

Elle hésitait, s'attendant sans doute à me voir consulter ma montre à nouveau, mais ma réaction fut tout autre. «Allons-y!»

Je tournais des images à travers le pare-brise alors que Bette roulait lentement le long de ce qui ressemblait à un immense tunnel de verdure, où, à l'occasion, des écureuils et des tamias roux traversaient à toute vitesse devant nous. Les grands pins et les bouleaux blancs tendaient doucement leurs branches d'un côté à l'autre du chemin, et mes paroles sont à jamais fixées sur ruban. «Regarde cela! On dirait que nous roulons dans un autre monde... une sorte de forêt enchantée tirée d'un film de Disney!»

Soudain, nous avons débouché dans un soleil intense au bas d'une pente douce. Au-delà du muret de pierre, à notre droite, se trouvait une clairière d'épais gazon constellé de marguerites, de tournesols et de quelques coquelicots rouges sur une profondeur de cinquante mètres environ à partir du chemin. C'est alors que nous l'avons aperçue en même temps: une vieille maison de ferme blanche, fière, sereine et isolée. Aucun voisin. Pas même une autre maison en vue. Et près de la route, à l'extrémité d'un vieux chemin de briques rouges, une autre enseigne «À vendre» portant un nom et un numéro de téléphone.

Bette entra dans la cour vacante à la gauche de la maison, coupa le contact et me regarda. Nous restions silencieux. Elle ouvrit sa portière, j'ouvris la mienne et nous avons marché, presque sur la pointe des pieds, sur la pelouse de trèfles, jusqu'à la porte de la maison où nous avons frappé. Aucune réponse. Après plusieurs minutes, nous nous sommes dirigés vers une porte de côté pour frapper à nouveau. Aucune réponse.

«Regarde, Og», dit Bette en soupirant et en dirigeant son regard à travers une vitre poussiéreuse. «C'est la cuisine. Vois-tu les énormes poutres du plafond... et le plancher, fait de larges planches de pin? Wow! Cette maison est peut-être vieille, mais on lui a donné beaucoup d'amour!»

— Bonjour! Belle maison, n'est-ce pas?»

Nous n'avions pas entendu arriver la voiture, mais il arborait un sourire chaleureux et il nous tendait la main. «Je m'appelle Bob Watterson. Je vis tout près d'ici et j'étais en route vers mon bureau. J'ai vu votre automobile et je me suis dit que je pourrais peut-être répondre à vos questions. Je suis entrepreneur en construction, mais je vends des immeubles de temps à autre, et nous avons joint cette maison à notre liste hier.»

Il connaissait très bien la propriété, nous confia-t-il, sa famille et lui y ayant vécu pendant plusieurs années avant de se construire une nouvelle maison en haut de la colline, non loin de là. Il ajouta que le dernier propriétaire de la ferme, un capitaine de navire à la retraite, avait décidé quelques semaines auparavant qu'il désirait habiter plus près de l'océan.

Nous nous sentions quelque peu ridicules; nous nous promenions, admirant le paysage, et nous regrettions de lui faire perdre son temps, car nous n'étions pas vraiment à la recherche d'une maison; nous possédions déjà une très belle maison à Scottsdale, en Arizona. Il haussa les épaules et conserva son sourire. Bette dit: «Si vous étiez passés cinq minutes plus tard, nous ne nous serions pas rencontrés.»

«Eh bien, dit-il, toujours en haussant les épaules et toujours souriant, c'est peut-être un signe du destin. Avez-vous un peu de temps? Aimeriez-vous entrer et visiter les lieux? Je serais très heureux de vous guider.»

Et il nous fit visiter les lieux, les neuf pièces et leurs particularités, la grande salle de séjour aux panneaux de chêne qui, selon ses dires, faisaient partie de la structure originale de 1870; le soleil entrait par les fenêtres exposées au sud et se reflétait sur les planchers en planches de pin clouées à l'ancienne, sur l'âtre massif qui allait du plancher au plafond, et des pièces de monnaie du siècle dernier étaient incrustées dans le mur de la salle à dîner au niveau du regard par quelque plâtrier sentimental; des poutres de chêne traversaient le plafond de la cuisine où était percé un puits de lumière; une véranda inachevée jouxtait la cuisine. Les amis et les visiteurs y prenaient sans doute place devant un pichet de limonade lors des chaudes soirées de juillet et août.

Une belle pelouse s'étendait derrière la maison, garnie d'immenses rochers et bordée d'azalées et de hauts buissons de bleuets, avec un bois de pins, de bouleaux, de chênes et d'érables, tout cela faisant partie de la propriété de 17 788 m². Alors que nous étions dans le jardin près du bois, les seuls bruits que nous entendions étaient les chants des oiseaux qui, visiblement, n'étaient pas enchantés de notre présence, le sifflement d'un train au loin et le murmure du vent dans les longues feuilles vert foncé d'un imposant frêne blanc de près de 27m de hauteur, aux dires de Bob, dont les branches massives s'étendaient au-dessus de la maison, comme pour la protéger.

Finalement, s'étant assurée que Bob ne pouvait nous entendre, Bette s'approcha de moi et dit: «Chéri, j'aime de plus en plus cet endroit!

— Moi aussi», lui dis-je.

Cinq heures plus tard nous rédigions un chèque couvrant le versement initial sur la ferme.

À la fin du mois d'août, nous sommes retournés au New Hampshire pour conclure la vente.

Très souvent, une partie d'échecs avec Dieu peut être une inoubliable expérience...

— III —

Dans le cadre de mes conférences, je rappelle souvent à mes auditoires que nous sommes tous des passagers sur ce vaisseau de l'espace de plus en plus petit qu'est la Terre, un véhicule fragile qui tourne sans cesse à une vitesse de plus de 16 090 km/h à l'équateur, et qui fait le tour du soleil à la vitesse difficilement imaginable de plus de 965 400 km/h!

En fait, nous ne sommes pas des passagers, mais des prisonniers sur cette boule de minéraux, de plantes et d'eau, collés à sa surface par la gravitation comme des milliards d'autres, tous avec le même objectif profond: survivre.

Depuis des siècles innombrables, nous luttons contre les forces de notre environnement: des ennemis cherchant à nous détruire ou, à tout le moins, à nous réduire en esclavage. Nous avons résisté aux glaciers, à la sécheresse, aux inondations, au feu et aux famines, et nous sommes sortis grandis de chaque difficulté. Malheureusement, notre réussite n'a pas été aussi concluante lorsqu'il s'est agi de faire face au terrible traumatisme de nous déraciner et de quitter des lieux familiers pour poursuivre notre vie dans un environnement différent, parmi des étrangers.

Plusieurs semaines après notre retour en Arizona et après que le choc de notre aventure au New Hampshire se soit atténué, Bette et moi avons imaginé ce qui nous semblait être la solution parfaite à cette situation inattendue et non nécessaire que nous avions provoquée. Nous garderions les deux maisons et ferions de la ferme de Langville notre villa d'été, ce qui nous permettrait d'échapper aux journées interminables de plus de 38°C qui transforment toujours la partie sud de l'Arizona en un insupportable enfer entre le mois de mai et le mois de septembre. Ainsi, nous aurions le meilleur de deux mondes: le printemps et l'été dans la luxuriante région de Monadnock au New Hampshire, et l'automne et l'hiver dans la fameuse Vallée du soleil en Arizona.

Au début de novembre, nous étions de retour à Langville, accompagnés cette fois de notre fils aîné, Dana, qui affectionne particulièrement les vieilles maisons américaines et qui s'y connaît en architecture. Dana passa plusieurs jours à arpenter la vieille maison un crayon et un bloc à la main, puis il nous indiqua de façon très détaillée ce que, selon lui, nous devions faire pour rendre notre vieille maison fonctionnelle et confortable. La priorité, selon Dana, était de convertir la véranda, dont la construction n'avait pas été complétée et qui avait de toute évidence été négligée, en un bureau pour moi avec isolation, moquette, beaucoup d'étagères pour les livres, de nouvelles fenêtres, du papier peint et un foyer au gaz. Ainsi, si nous décidions de passer des étés entiers à Langville, je pourrais y travailler avec le même confort qu'à Scottsdale.

Dana fit aussi plusieurs autres suggestions, telles que remplacer le vieil escalier conduisant au second, agrandir la chambre principale de 7,62 m pour y inclure un vaste placard, et faire de la grande chambre du dessous une salle de loisirs pouvant contenir un système de projection, un téléviseur et une chaîne stéréo. En tout, sa liste de suggestions remplissait deux feuillets complets, et nous avons tout accepté. Puis, nous avons rencontré Bob Watterson et, après avoir pris connaissance de son estimation pour l'ensemble des travaux, nous lui avons donné le feu vert. Les vacances approchaient à grands pas, et nous sommes tous les trois rentrés en Arizona avec la promesse de Bob que tout serait terminé au mois de juin de l'année suivante, à temps pour que nous puissions jouir pleinement de l'été au New Hampshire.

Nos projets ont changé soudainement et radicalement un matin du début de décembre alors que nous nous rendions de Scottsdale à Phœnix pour faire des achats additionnels de Noël pour nos petits-enfants. Nous roulions sur Lincoln Drive, avec le très beau profil que la ville découpait sur le ciel à notre gauche, et nous étions écœurés par l'affreux nuage noir causé par la pollution qui surplombait le centre-ville; nous le voyions si souvent que, comme les gens, nous commencions à nous y habituer. En nous rapprochant des grands immeubles commerciaux et des galeries marchandes de la ville, nous nous sommes retrouvés dans une circulation si intense que nous pouvions à peine avancer. Bientôt, l'intérieur de notre auto s'est remplie de la fumée des tuyaux d'échappement, et Bette s'est mise à tousser. Après avoir repris son souffle, elle a tourné vers moi ses yeux remplis de larmes et m'a lancé: «Og, partons d'ici!

— Nous sommes presque arrivés au centre-ville. Faisons d'abord ce que nous sommes venus faire...

— Non, non, chéri. Je ne suggère pas de faire demi-tour. Je veux dire: vendons la maison de Scottsdale et allons vivre sur notre vieille ferme pour de bon!

— Te rends-tu compte de ce que tu dis? Il y a actuellement plus de 0,60 m de neige là-bas, si l'on en croit Bob. Comment te sentiras-tu lorsque tu ne pourras sortir ton auto du garage pendant trois ou quatre jours?

— Très bien. Je reprendrai des projets de couture et de tricot laissés en plan. Et pense à toute l'écriture que tu pourras faire si tu n'es pas tenté chaque jour d'aller jouer au golf. Nous serions tous deux plus productifs... et nous vivrions sans doute bien plus longtemps aussi si nous ne respirions pas toutes ces ordures. Et il y a des façons de fonctionner malgré la neige. J'ai toujours voulu une Jeep Grand Wagoneer...»

Peu après Noël, nous avons confié la vente de notre maison de Scottsdale à Marby Pruitt, qui nous l'avait vendue lorsqu'elle était nouvellement construite. Marby était demeurée notre amie depuis des années. Malgré un marché très difficile, elle prouva pourquoi elle était l'une des meilleures de l'État en vendant notre maison en six mois.

Peu après la vente, je parlais au téléphone avec un vieil ami, Jim Newman, l'un des rares génies authentiques que j'aie connus, fondateur de l'Organisation PACE, une entreprise qui donne d'excellents séminaires et qui aident les gens à réaliser leurs possibilités. Nan, l'adorable femme de Jim, que Bette et moi considérons comme une amie, était aussi en ligne comme toujours, mais plutôt que de nous faire profiter de ses brillants commentaires, elle restait bouche bée alors que je racontais à Jim comment nous avions trouvé accidentellement la vieille maison de ferme, en ajoutant que nous étions sur le point d'apporter des changements radicaux dans notre vie. Finalement, je lui dis: «Jim, je ne comprend vraiment pas. Nous avions réussi ici... nous avions tout le luxe et tout le confort imaginables, la maison était presque payée... je n'arrive pas à croire que nous faisons cela!»

Je pouvais entendre Jim rire: «Je sais pourquoi cela se produit, Og. Tu devenais trop amorphe. Tout t'était devenu trop facile. Tu n'avais plus de défis à relever. Auteur de best-sellers... conférencier de renom... Tu avais besoin de nouveaux défis... de ressusciter de ta routine tranquille et facile. C'est vraiment ce qui pouvait vous arriver de mieux, à Bette et à toi.»

Ainsi, environ 17 mois après notre première visite du vieil enclos de Langville et la découverte que nous avait value notre curiosité, un camion-remorque de la United Van Lines, après avoir roulé 4 300 km sur 18 gros pneus, s'engageait lentement et prudemment sur Blueberry Lane, qu'il occupait de toute sa largeur. Pendant les deux jours suivants, plus de 32 200 kg de mobilier et de biens personnels soigneusement emballés (nous l'espérions) dans des cartons de divers formats, ont été déchargés de la gigantesque remorque par une équipe de quatre hommes et empilés, souvent jusqu'au plafond, dans toutes les pièces de notre maison de ferme d'adoption.

Épuisés, endoloris et au bord du sommeil, Bette et moi sommes restés au milieu du Blueberry Lane pour regarder les feux arrière du camion disparaître derrière un rideau d'arbres après avoir tourné à droite sur Old Pound Road. On aurait pu toucher les étoiles alors qu'une lune presque pleine jetait une douce lueur sur notre ferme et les bois environnants. Bette s'est rapprochée de moi, et nous nous sommes tenus enlacés pendant plusieurs minutes, puis elle m'a repoussé et a dit d'une voix dure: «Vas-y, dis-le!

— Dire quoi?

— J'ai attendu toute la journée que tu le dises, que tu fasses appel à toute ton éloquence...

— Que je dise quoi? De quoi veux-tu parler?

— Og, j'ai attendu que tu dises: «Penses-y, Bette, plus d'interminables galeries marchandes comme à Scottsdale pour perdre ton temps et ton argent, plus de farniente autour de la piscine avec un bon livre, plus de golf tous les deux jours, plus de bermudas en janvier, plus de pamplemousses roses et d'oranges à cueillir dans notre jardin, plus de bronzage permanent, plus de nourriture mexicaine authentique pour nous gaver, plus de roses cueillies dans notre jardin pour la table de Noël, mais, mais, cela en valait la peine, Bette. Regarde! Respire profondément! Wow! Pas de pollution!»

Elle riait, très fière de sa performance.

Je ne savais pas si je devais rire... ou pleurer.

— IV —

C'est un jour que je n'oublierai jamais.

Nous avions survécu à notre premier hiver à Langville malgré un mois de décembre très froid et, enfin, toute trace de neige était disparue et il n'y avait plus de boue. J'avais passé une partie de la matinée à arpenter lentement notre propriété pour déterminer tout ce que j'allais devoir déboiser et aménager pour rendre l'extérieur aussi invitant que l'intérieur l'était maintenant, grâce aux altérations, aux rénovations, aux ajouts, aux travaux d'électricité, de plomberie, de peinture et à la pose de papier peint, tout cela effectué grâce aux bons soins de Bob Watterson, de Curt, d'Ed, de Sam, de Cam, de Jerry et de Bruce, sans oublier le mobilier d'époque et l'expertise en décoration que nous devions à un magasin unique de Concord, Country Primitive, et à son talentueux propriétaire, Andrew Biancur.

Une tenace brume d'avril subsistait au niveau de la faîte des arbres derrière notre ferme, même s'il était presque midi. Depuis une heure environ, je taillais d'épais rosiers sauvages remplis d'épines qui poussaient sans aucun soin dans le jardin. J'espérais que, parmi tout ce que j'avais taillé, j'allais trouver quelques variétés rares de damas odorants, de Bourbons ou d'hybrides perpétuelles du siècle dernier aux couleurs exquises.

Plus Bette et moi examinions notre terrain de plus de 4 000 m^2 au New Hampshire, plus nous étions persuadés qu'il nous faudrait en conserver l'aspect naturel dans la mesure du possible, en évitant d'aménager les lieux de façon formelle. Si des pissenlits poussaient dans divers endroits de la pelouse ondulante et rocailleuse, nous ne les couperions pas... sans parler des violettes, des bleuets et des bouquets occasionnels de lys de la vallée. Lorsqu'enfin j'ai eu fini de tailler les buissons, les rosiers et les arbustes pour leur donner une forme respectable, il ne me restait plus qu'à tondre la pelouse que Bette qualifiait de «rébarbative». Nous étions tous deux décidés à ne jamais devenir esclaves de notre terrain, que nous adorions déjà après six mois seulement de résidence.

Je me suis finalement installé pour me reposer sur une grosse roche plate de granit à proximité des arbres, et j'ai placé près de moi ma vieille radio portative de marque General Electric. Cette vieille et robuste radio MA, de la grosseur d'une boîte à lunch et que j'avais reçue en cadeau en 1965, m'avait constamment accompagné au cours du dernier quart de siècle chaque fois que je travaillais à l'extérieur de nos maisons de l'Illinois et de l'Arizona. Au cours des ans, le poste avait été échappé, frappé du pied, piétiné et laissé sous la pluie à d'innombrables reprises, mais il avait encore une sonorité riche et puissante. Il captait actuellement une chaîne de radio de Boston, WBZ, dont le signal me parvenait avec clarté et force d'une distance de 130 km au sud. Cette chaîne avait été la préférée de ma mère lorsque, enfant, j'habitais à 32 km de Boston, dans la petite ville de Natick, dans les années 30; ma vieille boîte à paroles et à musique était donc continuellement branchée sur cette chaîne. D'une certaine manière, cela me rapprochait de la femme qui avait été si importante dans ma vie.

Je venais de passer la majeure partie des mois de janvier et février à parcourir le pays pour faire la promotion de mon livre intitulé *Une meilleure façon de vivre** paru chez Bantam Books (version originale américaine), et lors d'innombrables interviews d'un océan à l'autre, à la radio, à la télévision et dans la presse écrite. Partout, on m'avait sans cesse demandé de parler de ce chapitre spécial où je décrivais le rêve de ma mère, me voir devenir un écrivain... non seulement un écrivain, mais un grand écrivain! Ma mère, une robuste petite irlandaise, mourut quelques semaines à peine après la fin de mes études au collège de Natick en 1940, et pendant plusieurs terribles années, il m'a semblé que son rêve était une cause perdue jusqu'à ce que, au début de la quarantaine, j'écrive un petit livre intitulé *Le plus grand vendeur du monde*, livre qui allait transformer ma vie.

Tous les détails se trouvaient dans le livre, mais plusieurs animateurs de radio et de télévision

---

* Publiés aux éditions Un monde différent ltée sous format de livre.

insistaient pour m'entendre raconter mon histoire, expliquer comment, d'épave humaine, j'étais devenu auteur de best-sellers, en n'oubliant pas ce jour béni où je m'étais rendu à New York, chez Bantam Books, pour apprendre de la bouche de ses dirigeants qu'ils venaient d'acheter les droits de *Le plus grand vendeur du monde* pour une somme plus importante que ce que contenait, du moins je le croyais, le Trésor des États-Unis. En quittant à toute vitesse le siège social de Bantam Books sur la cinquième avenue pour me rendre à mon hôtel, le New York Hilton, téléphoner à Bette pour lui apprendre la bonne nouvelle, j'avais été surpris par un terrible orage et, puisque je ne portais pas d'imperméable, je m'étais engouffré dans une église dont la porte était ouverte. Je me rappelle encore le bruit de la pluie sur le toit, et un orgue ou l'enregistrement d'un orgue qui jouait «Amazing Grace» dans le sous-sol alors que je me dirigeais lentement vers le chœur de l'église déserte, pour tomber à genoux et dire en sanglotant, presque à haute voix: «Maman, où que tu sois, je veux que tu saches que nous avons enfin réussi!»

Et aujourd'hui, après toutes mes années d'errance, toutes mes années d'échecs et de succès, je me retrouvais encore, vêtu d'un vieux blue-jean, en train de travailler dans un jardin, dans une petite ville, comme je l'avais fait dans ma jeunesse, avec en toile de fond des pins et des bouleaux qui rappelaient tellement notre vieille maison de Natick, à 2 h de route à peine, 50 ans plus tard. J'avais bouclé la boucle, et quelle boucle... de l'enfant le plus pauvre de tout l'autobus scolaire, avec des parents immigrants... au International Speakers Hall of Fame (Temple de la Renommée des conférenciers internationaux), avec des millions de livres traduits en 18 langues. En ce moment même, je pouvais presque sentir la présence de ma mère et l'entendre qui disait: «Bienvenue à la maison!»

Quelques minutes plus tard, je me sentais encore plus près de ma mère et de mon passé. Mon vieux poste de radio sollicitait mon attention! Avec en toile de fond une foule en liesse et des sirènes de voitures de police, une voix d'homme parlait du marathon et du nombre record de participants pour cette année, y inclus divers ex-champions et le vainqueur du marathon des Jeux olympiques d'Italie, en 1988.

«Mon Dieu, me dis-je, ce doit être le Jour des patriotes au Massachusetts. Le marathon de Boston a lieu aujourd'hui! Maintenant je sais que je suis rentré à la maison!»

Le Jour des patriotes, Une fête officielle au Massachusetts. Pourquoi? Cela me revenait rapidement. Les «Minutemen»! La vieille église du nord! «Un, si par terre, ou deux, si par mer»... ou était-ce sur l'eau? Il y avait eu la chevauchée nocturne de Paul Revere avertissant ses voisins que les Anglais arrivaient et, notre première victoire à Concord, alors que les fermiers s'étaient unis pour repousser les soldats britanniques jusqu'à Boston après avoir tiré le coup entendu autour du monde à Lexington Common.

Pour des raisons qu'enfant je n'avais jamais comprises ou remises en question, le marathon annuel du Jour des patriotes, de Hopkinton à Boston, était toujours un événement spécial dans notre famille. Ce spectacle annuel était gratuit, ce qui explique sans doute sa popularité chez nous, car nous avions peu d'argent à consacrer à nos loisirs. Quoi qu'il arrive, chaque année mon père, ma mère et moi, et plus tard ma petite sœur, nous rendions à bord de notre Ford modèle T à Dennison Crossing, à Framingham, à 2 km à peine de la maison, nous stationnions la voiture sur le côté droit de la rue Waverly, où passait la course, et, avec à la main le Daily Record, dont la dernière page comportait la liste de tous les coureurs et de leurs dossards, nous applaudissions et encouragions bruyamment les participants à mesure qu'ils passaient, 30 minutes environ après le départ donné à 12 h à Hopkinton, et cela durait jusqu'à ce que le dernier coureur épuisé, suivi par des ambulances et des voitures de journalistes, passe à son tour, environ une heure plus tard.

J'étais assis là, perdu dans mes souvenirs, écoutant l'annonceur s'efforcer courageusement de prononcer les noms de coureurs africains qui se trouvaient dans le peloton de tête, et le nom d'un autre marathonien a soudain surgi du lointain passé... Johnny Kelley. J'essayais mais je ne pouvais me rappeler l'année exacte où ma mère en avait fait son favori parce que, bien sûr, il était irlandais. Je me rappelle encore, comme si c'était hier, ce moment de la course où Johnny Kelley est passé devant nous, talonnant les meneurs. Ma mère, qui d'habitude était plutôt réservée, s'était approchée de monsieur Kelley et avait crié: «Dieu te bénisse,

Johnny Kelley! Gagne celle-la pour les Irlandais!»
Eh bien, il avait gagné, et je revois encore sa photo
en première page du journal. Il souriait, les bras
levés bien haut, en passant la ligne d'arrivée à
Boston. Quelle année était-ce? Quel âge avais-je?
Pas la moindre idée. Assis sur la roche, mon poste
de radio à mes côtés, je n'arrivais pas à me souvenir.

Puis j'entendis quelque chose qui me fit soulever promptement de ma roche. Je saisis mon vieux
poste de radio et le rapprochai de mon visage.
L'annonceur parlait de Johnny Kelley. Que disait-
il? Oui, c'est cela! C'était en 1935! La voix à la radio
venait de dire que Johnny Kelley l'aîné, pour le
distinguer d'un autre marathonien appelé Johnny
Kelley qui avait couru quelques années plus tard,
avait remporté son premier marathon en 1935! Cal-
cul rapide! Je venais tout juste d'avoir 11 ans, lorsque ma mère, secondée par moi-même, avait poussé Johnny Kelley vers la victoire alors que mon père
nous observait en souriant patiemment. Mais pourquoi le commentateur sportif parlait-il de Johnny
Kelley maintenant, 55 ans plus tard? Quoi? Qu'a-t-
il dit? Mon Dieu, ai-je bien entendu? Oui... Oui, j'ai
bien entendu! La voix disait que le marathonien
Kelley courait avec sa facilité habituelle et qu'il
saluait la foule et lui souriait. Johnny Kelley? «Notre» Johnny Kelley? Impossible. C'est un nom courant. Il y a des milliers d'Irlandais qui s'appellent
Johnny Kelley au Massachusetts. Mais non, ce n'é-
tait pas un quelconque Johnny Kelley! C'était «notre» Johnny Kelley... à ma mère et à moi! Il franchissait en ce moment la ligne Framingham-Natick sur

la rue West Central. Johnny Kelley! Notre Kelley! L'annonceur était admiratif et fasciné. Johnny Kelley participait à son 59e marathon de Boston et il était en pleine forme! Johnny Kelley, maintenant âgé de 83 ans, que maman et moi avions applaudi en 1935, courait encore le long des mêmes vieilles rues conduisant au fil d'arrivée, à près de 32 km plus loin, à Boston. «Dieu te bénisse, Johnny Kelley?» Je me suis caché le visage dans les mains. Je sanglotais. Puis j'ai éteint la radio et je me suis levé.

J'ai traversé la terrasse arrière et je suis entré dans la maison par les portes-fenêtres de la salle à manger, j'ai posé mon poste de radio sur le comptoir de bois de cerisier poncé à la main, puis je me suis dirigé vers le couloir. À l'exception de l'horloge de parquet, notre maison était très silencieuse. Bette faisait des achats à Manchester. J'ai ouvert la porte principale et je suis ressorti dans le soleil, où je respirais la fraîcheur du printemps qui venait. J'étais médusé. Qu'est-ce qui m'arrivait? Pourquoi revivais-je mon passé ainsi, comme jamais auparavant? J'imagine que les écrivains, plus que les autres, doivent se sentir extrêmement reconnaissants si leurs souvenirs leur permettent de tirer parti de leurs expériences passées, mais chaque fois que j'avais écrit et tenté de me rappeler un incident précis de mon passé, j'avais toujours eu beaucoup de mal à me rappeler les faits. Ce n'était plus le cas.

Depuis mon arrivée à Langville, les événements et les gens de mon passé me revenaient à la mémoire sans efforts, comme dans le cas de Johnny Kelley. Mon retour à Langville et en Nouvelle-Angleterre était peut-être le catalyseur de ce phénomène. Peut-être le fait de vivre dans le même climat et si près de mes racines avait-il déclenché tout cela. J'ai secoué la tête. Une bonne promenade allait sans doute débarrasser mon esprit de cette couche de poussière et me libérer des ombres et des souvenirs de mon passé avec leurs larmes et leurs rires. Je n'étais pas encore prêt à rédiger mes mémoires!

Mes lourdes chaussures de travail produisaient des sons puissants et cadencés sur la terre alors que je longeais lentement Blueberry Lane. Le printemps arrivait sur la pointe des pieds au New Hampshire. De minuscules fougères faisaient leur apparition des deux côtés de la route, et les érables avaient déjà des bourgeons. Quel homme chanceux j'étais! Quel merveilleux endroit où vivre, en toutes saisons, avec la femme que j'aimais. J'espérais ne jamais plus déménager.

J'étais à 100 mètres environ de la maison, me dirigeant vers Old Pound Road, lorsque j'ai entendu une branche casser dans les buissons à ma droite; je me suis arrêté, juste à temps pour apercevoir un petit renard roux qui s'engageait sans aucune méfiance sur la route. Il était à moins de 7 m et me regardait, mais son instinct avait dû l'assurer que j'étais inoffensif car il n'a pas pressé le pas, et quelques minutes plus tard il franchissait le mur de pierre à ma gauche.

Les mains profondément enfoncées dans les poches de ma veste, une habitude acquise au cours de ma jeunesse, j'ai poursuivi ma promenade. Le ronron pénétrant et lancinant d'un monomoteur qui survolait le secteur contrastait avec le silence des arbres qui bordaient Blueberry Lane. Arrivé au coin, j'ai tourné de manière à faire face au vieil enclos, ce refuge d'animaux d'un autre siècle que Bette avait insisté pour me montrer au cours de ce mémorable après-midi, deux ans auparavant, alors que nous aurions dû être en route pour Boston. Depuis notre arrivée, chaque fois que j'étais passé près de cette vieille et unique construction, j'avais toujours pensé m'arrêter et y passer assez de temps pour me familiariser avec le site historique. Le moment était enfin venu.

J'ai descendu prudemment la pente très inclinée qui partait de la route et je me suis approché du mur arrière, constitué de pierres et percé d'une ouverture d'environ 1,20 m de largeur. Je me souvenais : Bette m'avait raconté que l'on conduisait les bêtes perdues dans cet espace, et l'on obstruait l'ouverture à l'aide de pierres ou de troncs d'arbres pour éviter que les animaux ne s'échappent avant que leurs propriétaires ne les récupèrent. J'ai pénétré dans l'ouverture et je suis descendu, à une profondeur de 0,60 m environ. Je pouvais à peine apercevoir Blueberry Lane et Old Pound Road par-dessus les roches inégales qui avaient été empilées avec tant de perfection les unes sur les autres que l'on voyait à peine le jour à travers les interstices. Le sol de l'enclos était recouvert de feuilles mortes et de mauvaises herbes, de fougères et de minuscules buissons de fruits sauvages. Dans un coin, quatre bouleaux avaient poussé, atteignant une hauteur d'au moins 18 m parmi plusieurs grands pins. N'avaient-ils commencé à croître qu'une fois l'enclos abandonné, ou avaient-ils survécu pendant quelques années, malgré le passage constant des moutons, des chèvres et des vaches?

Je restais immobile et j'écoutais. Des craquements me parvenaient des buissons, plus loin dans les bois. De petites pattes, piétinant des feuilles mortes et des branches. Au-dessus de ma tête, un étrange chant d'oiseau, semblable à une plainte, se répercutait à travers les arbres. Je me suis penché et j'ai passé ma main sur la mousse veloutée qui recouvrait les pierres, m'efforçant d'imaginer cet endroit très spécial desservant la collectivité, un matin comme celui-ci, au début du XIXe siècle! En 1817? Il y avait bien longtemps. Je rappelais un jour, en déballant l'une de mes nombreuses boîtes de livres dans mon nouveau studio installé dans l'ancienne véranda de la vieille ferme, alors que j'étais tombé sur l'un de mes livres favoris intitulé *The Timetables of History*.

Me rappelant l'année où l'on avait construit l'enclos, année qui était indiquée sur la plaque de bronze, j'avais interrompu le déballage de mes cartons, je m'étais assis sur la moquette neuve et j'avais tourné la page à l'année 1817. Que s'était-il passé dans le monde au moment où le petit village de fermiers de Langville érigeait son enclos? J'avais besoin d'une sorte d'étalon pour m'aider à mesurer le passage du temps afin de mieux apprécier l'histoire de ma propre région. Eh bien en 1817, James Monroe, notre cinquième président, était entré en fonction. Le Mississippi était devenu notre 20e État. On avait entrepris la construction du canal Érié, procédé à l'ouverture du pont de Waterloo à

Londres, et Baltimore était devenue la première ville américaine à voir ses rues illuminées par des réverbères à gaz. Et le 12 juillet de cette même année, un homme de condition modeste et sa femme, John et Cynthia Thoreau, sont devenus les fiers parents de Henry David.

Dans l'enclos, tout était devenu étrangement calme et silencieux, et j'ai été envahi par une merveilleuse sensation de gratitude et de tranquillité. C'était formidable que d'être vivant! Fasciné, j'ai jeté un regard tout autour de l'enclos. Aucun lieu extérieur de prière, pensais-je, ne pourrait être aussi paisible ou plus près de Dieu que ce vieil assemblage de pierre ne pouvait l'être en ce moment même.

«Monsieur Og, vous me semblez merveilleusement bien!»

Instinctivement, j'ai retenu mon souffle. Je n'avais entendu ni automobile sur Old Pound Road ou Blueberry Lane, ni des pas s'approchant de l'enclos de quelque direction que ce soit, et pourtant je venais d'entendre une voix d'homme, quelque peu gutturale mais très riche et profonde, me parlant de si près que l'homme devait se trouver à l'intérieur de l'enclos ou juste de l'autre côté du mur. Je suis resté presque complètement immobile, m'efforçant de rassembler mes idées. Je venais d'arpenter tout l'intérieur du petit enclos, et j'aurais pu jurer que moi seul s'y trouvait! Après quelques douzaines de missions de combat au-dessus de l'Allemagne, au cours de ma jeunesse, je n'avais jamais été apeuré très facilement, mais maintenant, mon vieux cœur battait violemment alors que je tournais lentement la tête en direction de la voix.

Appuyé sur la face intérieure du mur sud, à 10 pas de moi tout au plus, se trouvait un vieillard qui hochait la tête et me souriait. Chauve sur le dessus de la tête, qu'il avait brune, d'épais cheveux gris poussaient au-dessus de ses oreilles et lui descendaient dans le dos. Sa barbe pleine était presque blanche sous un nez droit et proéminent, un visage à forte ossature, un visage qui rappelait un tableau de grand maître avec des centaines de rides profondes. Il était vêtu d'une veste usée de velours côtelé de couleur brune, d'un blue-jean et de bottes brunes. Il portait une écharpe de laine rouge autour du cou et avait à la bouche une pipe de maïs éteinte. Il leva les deux bras dans un geste amical de bienvenue tout en continuant de sourire, et je fis enfin plusieurs pas dans sa direction avant de m'arrêter abruptement.

Le vieillard s'était éloigné du mur, et maintenant qu'il s'était tout à fait redressé je me rendais compte qu'il était plus grand que moi malgré mon 1,82 m. Il sourit à nouveau, m'invitant à me rapprocher de ses énormes mains, comme si j'avais été un enfant timide. Je respirai profondément et je reconnus à peine ma voix qui lui demandait: «Qui êtes-vous? Votre voix me semble familière. Il me semble vous avoir déjà vu et pourtant je... pourtant je...» Son rire profond résonna à travers les bois, et il s'adossa à nouveau aux pierres, posant sa main gauche sur le mur et tendant l'autre vers moi, pour m'inviter à me rapprocher. «Approchez un peu, monsieur Og. Vous allez à coup sûr reconnaître un vieil ami si vous le faites.»

Monsieur Og? Depuis la première publication du livre *Le plus grand miracle du monde* en 1975, nombre de gens m'avaient appelé ainsi en personne ou dans leurs lettres après avoir lu le livre, mais nul ne l'avait jamais fait avec autant d'amour et de respect que... que...

J'ai couru me jeter dans ses bras. Nous sanglotions tous les deux. Finalement, je me reculai un peu et je remarquai, pour la première fois sous son écharpe, la croix de bois attachée à une fine lanière de cuir nouée autour de son cou, croix qu'il portait lors de notre première rencontre, à Chicago, tant d'années auparavant.

«C'est vous! Mon Dieu! Simon, Simon, Simon...

— C'est moi, monsieur Og, c'est moi.

— Simon. Simon Potter. Oh, comme vous m'avez manqué, et depuis si longtemps!

— Et vous m'avez manqué aussi, monsieur Og, tout autant et depuis aussi longtemps!»

— V —

«Maintenant, lui ai-je dit doucement, laissez-moi vous regarder.»

Après une accolade silencieuse de plusieurs minutes, j'avais pris la main du vieillard et je l'avais conduit vers une section du mur de l'enclos, parallèle à Blueberry Lane, qui n'était pas très élevée. Les pierres du sommet de cette partie du mur étaient tombées au sol à l'intérieur de l'enclos et étaient à demi enfouies sous des feuilles pourries de chêne et d'érable; elles avaient sans doute été jetées là par des hommes ou des garçons désœuvrés.

Maintenant, Simon me faisait face sur le muret, et nous avions posé les pieds sur les pierres tombées. Je tendis la main, caressai doucement ses joues ridées et secouai la tête, incrédule: «Fantastique! Il y a... combien d'années? Quinze ans que je ne vous ai vu, et à l'exception, excusez-moi, à l'exception d'une légère calvitie, vous n'avez pas changé du tout. Votre anniversaire, celui que nous avons célébré à Chicago, aidez-moi un peu, lequel était-ce?»

Il sourit et ouvrit tout grands ses yeux chaleureux et bruns. «Vous parlez de cette occasion très spéciale où vous et moi avons mis en terre un géranium de verre que vous m'aviez offert dans la boîte à fleurs de ma fenêtre, dans le froid, au second étage?

— C'est bien ça.

— C'était en 1974, à l'occasion de mon 79e anniversaire.

— Mon Dieu, cela signifie que vous avez aujourd'hui 95 ans! C'est miraculeux! Votre regard est clair, vous êtes aussi grand et fier qu'à l'époque, j'ai eu une impression de grande force lors de notre accolade, et votre belle voix conviendrait bien au Metropolitan Opera. Quel est votre secret?

— Nous vivons tous plus vieux que nos parents et nos grands-parents, monsieur Og. En 1900, une seule personne sur 25 vivait jusqu'à 65 ans. Aujourd'hui, dans ce pays, une personne sur huit a dépassé cet âge. Un enfant né au tournant du siècle ne pouvait compter vivre, en moyenne, que 40 ans. Les bébés d'aujourd'hui, avec un peu de chance, vivront jusqu'à 75 ans. L'Amérique devient de plus en plus grise. Déjà, nous, les gens de plus de 65 ans, sommes plus nombreux que les adolescents. Vous voulez connaître le secret de ma longévité? Il n'y a pas de secret. Ma longévité, qui dépasse de beaucoup le taux moyen de longévité que l'on connaît de nos jours, semble être une sorte de mystérieux boni accordé à presque tous les chiffonniers de Dieu, à presque tous les individus qui apportent de l'aide, du réconfort et des soins aux gens moins fortunés. Cette récompense que l'on obtient pour avoir servi de frère ou de sœur à des gens, pour avoir travaillé sans toucher de salaire, constitue peut-être encore un secret, mais je vous assure qu'il n'en sera pas ainsi très longtemps. Beaucoup de publications réputées, telles que *Psychology Today, Longevity* et même ma favorite de toujours, *Better Homes and Gardens*, attirent déjà l'attention du public sur ce lien mystérieux qui existe entre ce que j'appelle un chiffonnier, celui qui donne de sa personne si vous préférez, et une longévité accrue.»

Simon Potter lisant *Better Homes and Gardens*? J'avais du mal à l'imaginer jusqu'à ce que je me rappelle que la quête de vérité du vieillard avait toujours fait l'objet d'une étendue et d'une passion illimitées. Il se pencha et posa ses coudes sur ses genoux tout en observant ses mains fermées. «Monsieur Og, comme vous le savez, ma profession, ma vocation, mon passe-temps, la mission de ma vie pendant plusieurs décennies à été celle d'un chiffonnier. Cependant, contrairement à d'autres chiffonniers, je ne ramasse pas de cannettes de bière et de soda, de vieux journaux et de vieux vêtements; je m'intéresse aux gens, aux personnes qui ont connu des moments difficiles et qui se retrouvent finalement à l'état d'épaves. Avec beaucoup de patience et de travail, et avec l'aide de Dieu, j'ai eu la chance de sauver plusieurs vies et de fournir à des gens une autre chance de réaliser leur véritable destin, et plusieurs d'entre eux avaient déjà presque sombré dans le terrible abîme de l'alcool et des drogues, deux ennemis mortels qui sévissent aujourd'hui à tous les niveaux de notre société.»

L'homme me tapotait le genou. «Je crois que j'ai même réussi à vous apporter quelque chose. Vous êtes un homme bien meilleur aujourd'hui, monsieur Og, que vous ne l'étiez au milieu des années 70 alors que nous nous rencontrions pour discuter dans mon petit appartement de Chicago, près de votre bureau, après vos longues et difficiles journées en tant que président de *Success Unlimited*, l'excellent magazine de W. Clement Stone. Vos nombreux livres et vos innombrables conférences sur le succès, ont beaucoup apporté aux gens du monde entier depuis que vous avez démissionné de votre poste, en 1976, pour consacrer tout votre temps, ainsi que vous l'avez dit, à l'écriture, au métier de conférencier, et au golf.

— Vous êtes au courant de mes activités?»

Il acquiesça. «Je vous ai suivi de près. Mais tout d'abord, permettez-moi d'en finir avec la question de la longévité, car elle est très importante et vous, qui avez un vaste auditoire, pourriez choisir d'en parler un peu partout. D'abord, il y a quatre règles fort simples à respecter pour accroître ses chances de vivre plus vieux, et tout le monde les connaît, même s'il est à craindre que plusieurs n'aient pas le courage nécessaire ou ne soient pas assez fiers d'eux-mêmes pour les observer.

D'abord, faites preuve de bon sens pour les quantités et les types d'aliments que vous absorbez. Il n'est pas nécessaire d'être guidé par un expert en calories ou en nutrition. Deuxième règle:

évitez complètement les drogues ou l'alcool, sauf peut-être pour prendre un verre de vin lors d'une occasion spéciale. Troisièmement, dit-il, brandissant sa vieille pipe de maïs éteinte, ne mettez rien dans votre bouche qui fasse de la fumée à l'autre extrémité. La quatrième règle consiste à faire de l'exercice modérément, au moins trois fois par semaine. Une marche rapide de 30 minutes fera très bien l'affaire. Il n'est pas nécessaire de courir chaque jour jusqu'à ce que vous soyez complètement endolori et prêt à vous évanouir. Assurez-vous simplement de demeurer actif et de ne jamais devenir esclave de la télévision. Les gens qui regardent constamment la télévision commettent la forme de suicide la plus insidieuse et la plus triste qui soit aujourd'hui.»

Simon éleva alors les deux mains, les doigts tendus comme un mæstro, pour accentuer ce qu'il allait dire. «Maintenant, mon cher ami, tout enfant de plus de 10 ans aurait sans doute pu vous énumérer ces quatre étapes fondées sur le bon sens pour vivre plus longtemps, mais la 5e étape, la plus importante, est encore peu connue, même si elle a assez de valeur pour multiplier, par deux ou trois, ces années que n'importe qui peut ajouter à sa vie en respectant les quatre premières. Êtes-vous prêt?»

C'était comme au bon vieux temps. Le maître enseignait. L'élève apprenait. «Je suis prêt!

— Pratiquez l'altruisme!

— L'altruisme?»

Simon semblait s'amuser de mon étonnement. «L'altruisme, monsieur Og, selon le dictionnaire, est la disposition à s'intéresser et à se dévouer à autrui. Pour des raisons que même la science et la médecine ne comprennent pas encore. Il semble que les gens qui consacrent une partie de leur temps et de leurs énergies à aider leurs semblables, volontairement, et en n'acceptant aucune récompense, semblent être bien moins victimes de stress et de dépression, tout en éprouvant un sentiment de satisfaction, de fierté et en ayant une plus grande capacité de travail et en se sentant en paix et heureux.

De plus, quiconque éprouve ces sentiments positifs a rarement tendance à s'apitoyer sur son sort, à se désespérer et à ressentir les effets négatifs de l'échec, ce qui est toujours dommageable au système immunitaire. Ce qui est étonnant, c'est que plusieurs des cerveaux qui effectuent des recherches sur cet aspect de la longévité en sont venus à croire que, pendant que l'on vient en aide aux gens sans penser à soi, l'organisme semble produire des substances chimiques, les endorphines, qui apaisent la douleur et qui, selon les athlètes, procurent une sensation d'euphorie.

— Quel bel outil de recrutement pour les organismes à la recherche de bénévoles, tels que la Croix Rouge américaine, United Way et Big Brothers. Joignez-vous à nous et vivez plus longtemps!»

Simon fronça les sourcils devant la légèreté apparente de mes propos. «Monsieur Og, il ne s'agit nullement d'une pure supposition que vous retrouverez dans les journaux à scandale. La revue

Better Homes and Gardens, dont les responsables ont les pieds sur terre, a effectué un sondage auprès de ses lecteurs; on leur a demandé comment ils se sentaient lorsqu'ils aidaient régulièrement leurs semblables bénévolement. Les résultats, confiés au Institute for Advancement of Health (Institut pour l'avancement de la Santé) pour une analyse et une revue, indiquent qu'un important pourcentage des gens qui aident bénévolement leurs semblables ressentent une sensation physique chaleureuse et agréable, une sensation d'euphorie. Alors, comme vous pouvez le voir, monsieur, moins d'aliments et d'alcool, l'abandon du tabac, un peu plus d'exercice et beaucoup d'altruisme, dans votre quartier par exemple, tout cela améliorera grandement vos chances de vivre assez longtemps pour voir grandir vos petits-enfants.

«Et cela, mon vieil ami, explique sans doute pourquoi vous me trouvez si bien portant malgré mon âge. Je suis chiffonnier, et tous les chiffonniers pratiquent quotidiennement l'altruisme. Tout le monde peut se joindre à nous. C'est gratuit. Il n'y a pas d'assemblées. Et j'ajoute que les contributions financières aux nobles causes ne semblent avoir aucun effet sur la longévité. On doit donner de sa personne et de son temps, sans aucune pensée de récompense d'aucune sorte, pas même sous la forme d'un «merci.»

— Albert Schweitzer?»

La figure du vieillard s'éclaira. «Un parfait exemple. Écrivain, musicien, théologien, philosophe... Un des hommes talentueux et sages les plus éminents de tous les temps, et pourtant, au cours des 50 dernières années de sa vie, en tant que médecin et missionnaire, il a dirigé un hôpital dans la jungle à ses propres frais pour venir en aide aux indigènes de l'Afrique équatoriale française, un hôpital qu'il a littéralement construit de ses propres mains. Il est mort à 90 ans.»

«Simon, je me souviens d'avoir lu quelque part qu'il était en grande forme, mentalement et physiquement, presque jusqu'à sa mort, et il a déjà dit que tout ce qui lui donnait une impression de vieillesse était le courrier qu'il recevait et auquel il ne pouvait répondre.

— Et vous, monsieur Og, répondez-vous toujours personnellement à votre courrier comme vous le faisiez lorsque j'ai fait votre connaissance?»

Je sentais battre mon cœur un peu plus vite. Sa question me fournissait l'occasion parfaite pour laquelle j'avais prié en silence. Je m'efforçai de répondre sans que le vieillard détecte de tremblements dans ma voix. «Je fais de grands efforts, même si, souvent, l'avalanche du courrier que je reçois me donne l'impression d'être aussi vieux que monsieur Schweitzer. Mais je réponds à toutes mes lettres. De temps à autre, bien sûr, je reçois de la correspondance à laquelle je ne peux répondre, l'expéditeur ne m'ayant pas fourni d'adresse de retour. L'une de ces lettres, que j'ai reçue en 1974, au mois de décembre, est aussi présente dans mon souvenir que si je l'avais reçue hier.

«J'étais rentré au travail au magazine très tôt le lundi matin, pour rattraper deux semaines de retard, passées en tournée de promotion pour un nouveau livre. Il y avait sur mon bureau une enveloppe qui m'était adressée mais dont les timbres n'étaient pas oblitérés. Cette enveloppe contenait un message d'au revoir de vous, Simon, de même qu'une épingle de sûreté avec un petit bout de tissu que votre lettre qualifiait «d'amulette de chiffonnier»; il y avait aussi ce cadeau spécial que vous me promettiez depuis plusieurs mois, le «Mémorandum de Dieu», contenant les quatre secrets du succès et du bonheur. Dans votre lettre, vous me demandiez de porter l'amulette et de mettre en pratique les règles du succès et du bonheur pendant 100 jours, pour ensuite, en cas de réussite, les répandre au grand jour. Vous ne mentionniez aucunement la raison de votre départ ni votre destination. Votre perte a été pour moi un choc presque aussi terrible que celui que m'avait causé la mort soudaine de ma mère lorsque j'avais 16 ans.»

Le vieillard était penché, les yeux fixés sur ses mains. Je touchai doucement son épaule, mais il ne leva pas les yeux. «Simon, dis-je, je ne pouvais pas répondre à votre lettre. Pas d'adresse de retour. Et lorsque j'ai couru à votre appartement, de l'autre côté du terrain de stationnement derrière notre immeuble, lorsque j'ai gravi l'escalier de cet endroit familier et paisible où nous avions passé tant de précieux moments ensemble, j'ai découvert que personne ne vous connaissait et qu'une famille qui m'était étrangère occupait votre appartement, n'avait jamais entendu parler de vous et ne pouvait vous reconnaître selon la description que je faisais de vous.

«J'ai même vérifié auprès de la police et à la morgue. Aucun Simon Potter. Pas un indice. Ça a été terrible pour moi, et ma seule consolation était une phrase de votre lettre qui mentionnait que nous ne nous verrions pas de sitôt. Je n'en étais pas absolument certain, mais je me disais qu'un jour, un jour, nous allions nous revoir. Une balle de fusil dans le ventre aurait été moins douloureuse que votre mystérieux départ sans explication et sans adieu. J'en étais venu à beaucoup vous aimer, et vos sages conseils m'avaient donné une perspective précieuse et équilibrée de la vie qui me guide depuis plusieurs années.»

Simon leva enfin la tête, soupira et porta son regard sur Blueberry Lane. «Vous avez dit tout cela, monsieur Og, dans votre livre: *Le plus grand miracle du monde*.

— C'est exact, et j'y ai inclus *Le mémorandum de Dieu*, comme vous le suggériez dans la lettre, parce qu'il m'avait été très profitable. Et il s'est même produit une mystérieuse disparition reliée au livre. Une autre perte pour moi. Lorsque je rédige un livre, je conserve toujours mes notes dans des chemises, généralement sous forme de chapitres, de façon à les consulter par la suite selon le besoin. Eh bien, juste avant la publication du livre, je me suis mis à la recherche du dossier contenant l'original de votre «mémorandum de Dieu» que j'avais classé dans une chemise marquée «chapitre neuf». J'avais décidé de ranger le «mémorandum» dans mon coffret de sûreté plutôt que de le laisser dans un classeur, et je comptais, lors de ma tournée de promotion du livre *Le plus grand miracle du monde* apporter le document original avec moi pour le montrer aux gens. Ce dossier n'était pas dans le classeur avec les autres, et je n'ai jamais pu le retrouver. Je ne savais que penser. Je ne sais toujours pas.»

Simon continuait à regarder du côté du Blueberry Lane. «Mais, monsieur Og, dit-il sans bouger la tête, lorsque Bantam Books a acheté les droits de publication en 1977 et vous a organisé une longue tournée de promotion, je sais qu'il vous a été demandé, à d'innombrables reprises, si les incidents rapportés dans le livre s'étaient vraiment produits et s'il existait vraiment un vieux chiffonnier répondant au nom de Simon Potter ou s'il était le fruit de votre imagination.»

Je souris. «On me pose encore ces mêmes questions, après toutes ces années.»

Finalement, il tourna la tête, et ses vieux yeux étaient mouillés de larmes. «Et vous avez toujours répondu de la même manière, n'est-ce pas?

— Je n'ai jamais eu tellement de choix, Simon. Aucune preuve de votre existence. Aucun témoin qui vous ait vu dans le quartier ou l'immeuble d'appartements. Aucun «mémorandum de Dieu» à montrer à quiconque. Ainsi, chaque fois que l'on m'a demandé si ce livre était vrai ou si Simon Potter était le fruit de mon imagination, j'ai toujours répondu que l'on devait lire le chapitre 4, verset 48 de l'Évangile selon saint Jean, tout en précisant que je ne donnerais jamais d'autre réponse.

— Je sais.» Simon ferma les yeux et dit d'une voix douce: «Si vous ne voyez signes et prodiges, vous ne croirez donc pas!»

«C'est tout... Il n'y a rien à ajouter. Le livre porte bien son titre. Il a été un grand miracle et des milliers d'exemplaires ont été vendus. Même aujourd'hui, après toutes ces années, il fait encore partie de la liste des best-sellers religieux et édifiants de Waldenbooks. Et puis, il y a un an, je me suis rendu à New York et j'ai passé deux jours aux studios RCA en compagnie d'acteurs de Broadway, où le livre a été enregistré sous forme de pièce de 90 minutes que Bantam Books a publié sur cassette. J'en suis très fier. Le problème que nous avions était de trouver un acteur dont la voix ressemblait à la vôtre. Je ne sais pas combien nous en avons entendu avant que Leslie Corn, la brillante directrice de la compagnie de production qui nous a aidés à produire notre enregistrement, ne fasse fonctionner sa magie.

— Oui, dit-il en acquiesçant, Stephen Newman a été un excellent choix. Merveilleuse diction et grand acteur.»

Je me redressai d'un seul coup et je le regardai dans les yeux. «Vous le savez... vous savez même le nom de celui qui a joué votre personnage dans notre enregistrement chez RCA?

— Je le sais.

— Voudriez-vous expliquer à votre vieil ami par quel mystère vous avez pu suivre mes activités, apparemment jour après jour et même minute après minute?

— Non.

— Eh bien, essayons une question d'un genre différent. Compte tenu de tout l'amour, le respect et les merveilleux moments que nous avons vécus ensemble, alors que vous m'avez appris comment vivre une vie remplie de succès et de bonheur, pourquoi êtes-vous disparu sans même me serrer la main?»

Il baissa la tête comme un enfant que l'on gronde et murmura: «Monsieur Og, mon cher ami, je ne puis vous dire plus que ceci: une situation urgente s'était présentée, et apparemment j'étais le seul chiffonnier possédant la connaissance et l'expérience permettant d'y faire face.»

Cette explication terrifiante soulevait plus de questions qu'elle n'en clarifiait, mais je savais très bien que je ne pouvais insister davantage. Il poursuivit en disant: «J'avais rédigé ma lettre d'adieu et préparé mon colis à votre intention avec l'amulette et le «mémorandum de Dieu» plusieurs semaines avant que vous ne la receviez. J'ai remis mon départ autant que je l'ai pu parce que je savais que votre chaleureuse compagnie et nos merveilleuses discussions allaient me manquer, même s'il était évident que vous n'aviez pas besoin de moi... N'importe qui aurait pu voir que votre avenir était très prometteur.

— Vous ne pouviez même pas me dire au revoir de vive voix?

— Non. Nous en aurions tous deux souffert inutilement. J'y ai réfléchi avec angoisse pendant plusieurs jours avant de prendre ma décision, mais j'ai décidé que la meilleure chose à faire était de disparaître et de laisser le temps arranger les choses comme il le fait toujours. Croyez-moi, cela valait mieux pour vous et moi.»

— Et avez-vous réussi à régler votre situation d'urgence?

— Je suis fier de dire que oui. Un musicien célèbre. Vous connaissez sans doute son nom. Tout va bien.»

Une voiture gravissait Old Pound Road, la première que je voyais depuis ma rencontre avec Simon. Je tournai la tête. C'était Bette. Sa jeep Grand Wagoneer tourna à gauche sur Old Pound Road pour s'engager sur Blueberry Lane, et je franchis cette distance en toute hâte pour me rendre sur la route en criant et en agitant les bras.

Bette freina comme elle seule sait le faire, abaissa sa vitre et s'écria: «Qu'est-ce qui se passe? Quelque chose ne va pas?

— Ça n'a jamais mieux été... et ce jour est sans doute le plus beau de ma vie!

J'ouvris sa portière et je lui tendis la main. «Descends! Il y a ici une personne très spéciale que je veux te présenter... Tu ne le croiras jamais!»

Bette descendit de sa haute Wagoneer et jeta un regard inquiet par-dessus mon épaule, en direction de l'enclos. «Qu'est-ce que je ne croirai jamais?

— Il y a ici une personne très spéciale. Je crois que c'est un miracle.»

Je me tournai vers le lieu du mur où Simon et moi étions restés assis pendant toute notre conversation. Il n'y avait personne. Le vieil enclos était désert.

— VI —

Plusieurs heures se passèrent avant que je puisse me résoudre à parler de mon étrange aventure au vieil enclos. Bette n'approcha pas de mon studio de tout l'après-midi, et moi j'essayai d'oublier Simon en répondant à mon courrier, et pendant le repas du soir elle se limita à parler de la difficulté qu'elle avait eu à trouver des vêtements d'été au New Hampshire Mall de Manchester. Nous avions rempli le lave-vaisselle et je m'étais étendu sur notre fauteuil favori, lorsque je me mis à lui raconter tout ce qui était arrivé plus tôt ce jour-là, pendant mon innocente promenade sur Blueberry Lane.

Dès que je commençai à parler, Bette interrompit son tricot et m'écouta avec intensité, les yeux mi-clos, sans m'interrompre ou mettre en doute une seule partie de mon récit. Même si elle n'avait jamais rencontré ni même vu Simon Potter auparavant à Chicago, lorsque le vieillard et moi nous nous étions liés d'amitié, elle connaissait à peu près tous les détails de l'existence du vénérable chiffonnier dans ma vie. Plus que quiconque, elle savait combien les sages conseils de Simon avaient influencé mon avenir, pour faire de moi un père, un mari et un être humain bien meilleur que je ne l'avais été avant que ses sages paroles ne touchent mon âme.

Lorsque j'eus terminé le récit de notre étrange rencontre à l'enclos, Bette demeura silencieuse pendant plusieurs minutes, puis elle fronça les sourcils et dit: «Chéri, le mystère de Simon semble s'épaissir avec les années. Il y a tant de questions que j'aimerais poser à ton vieil ami.

— Par exemple?

— Eh bien, pendant tous ces mois où vous étiez tous deux si liés, à Chicago, comment se fait-il que personne d'autre ne l'ait connu ou même vu... toi excepté? Et maintenant, pourquoi est-il encore disparu, au moment même où tu allais enfin me le présenter?»

Je gardai le silence. Bette se pencha vers moi, agitant une broche à tricoter. «Cela te suffit?

— Continue!

— D'accord. Comment Simon a-t-il fait pour te retrouver, sur cette petite route isolée au milieu de nulle part, après toutes ces années?

— Je ne sais pas. Il m'a dit qu'il avait suivi mes activités depuis son départ soudain, il y a plus de 15 ans, mais lorsque je lui ai demandé des explications, il ne m'a pas répondu.

— Je ne devrais pas me poser de questions. Un radar du vingt et unième siècle? On dirait un vieil épisode de The Twilight Zone. Crois-tu que tu le reverras un jour?

— Mon Dieu... Je l'espère.»

Bette sourit. «Un autre livre peut-être?

— Cela ne m'a jamais effleuré l'esprit. Je ne veux simplement pas perdre sa trace encore une fois, et j'aimerais qu'un jour il me fasse part de ses observations sur ce qui se passe dans le monde.

— Og, s'il te plaît, il y a une question qui, plus que toutes les autres, exige une réponse, et mon instinct me dit que la façon dont Simon y répondra, si jamais il y répond, sera marquante pour ton avenir... et le mien, bien sûr!

— Explique-toi.

— Réfléchis à ceci. Je présume que Simon aide toujours les gens à résoudre leurs difficultés, qu'il est toujours chiffonnier et qu'il vient en aide à ceux qui sont tombés et ont subi de graves coups durs ou des pertes tragiques.

— J'en suis certain. J'ai cru comprendre qu'il était toujours actif, et je doute sincèrement qu'un chiffonnier puisse prendre une retraite de toutes façons. Tant qu'ils vivent, les chiffonniers aident toujours ceux qui ont besoin d'eux...

— Alors la grande question que tu devrais poser à ton ami spécial, si vous vous revoyez — ce que je crois — est: Pourquoi est-il réapparu dans ta vie actuellement? Pourquoi?»

Le lendemain matin, après le petit déjeuner, je me suis à nouveau rendu, en suivant Blueberry Lane, au vieil enclos et je me suis assis sur le muret encore une fois. J'avais invité Bette à m'accompagner mais elle avait refusé, en disant: «Il ne se montrera probablement pas si je suis présente. Tu dois y aller seul.»

Je me suis assis seul dans l'ombre tranquille pendant plus d'une heure. Simon n'est pas venu, et en retournant à la ferme un camion de la firme UPS à la couleur brune familière passa près de moi et je le vis emprunter notre allée. Les 25 roses que j'avais commandées chez Jackson et Perkins étaient arrivées, à ma grande joie. Maintenant, j'avais autre chose pour m'occuper l'esprit que Simon, quelque chose qui allait aussi mettre à dure épreuve mes vieux muscles. Je me mis immédiatement au travail; la tâche me semblait de plus en plus difficile chaque année: je devais creuser des trous profonds au pic et à la pelle. Ces merveilleuses roses avaient été choisies pour mettre en valeur un endroit très spécial réparti sur deux niveaux séparés par des rocs de granit sur le côté ouest de la maison.

Le lendemain matin, avant de poursuivre la tâche, je me suis rendu brièvement au vieil enclos, mais j'étais de retour en moins d'une heure, mélangeant de la tourbe et du fumier de vache sec, dont j'entourais les racines des plants avant de les recouvrir de terre avec amour et de les arroser. Deux jours plus tard, Bette et moi nous nous envolions pour Chicago pour célébrer le 88e anniversaire de W. Clement Stone en compagnie de beaucoup de ses amis et des membres de sa famille. C'était une soirée spéciale pour nous, et je ne comprends toujours pas ce qui m'a pris, mais Bette et moi nous nous apprêtions à partir lorsque je me suis penché et j'ai embrassé le grand homme sur la joue. Toutes ces années au cours desquelles j'avais dirigé son magazine, *Success Unlimited*, avaient marqué le point tournant de ma vie.

À notre retour de Chicago, j'avais tout juste le temps de changer de valise et de partir pour Nashville où je devais prononcer le discours de clôture d'un programme d'étoiles commandité par le Resource Group of America. Je passai quelque temps dans le calme de l'enclos, l'après-midi de mon retour, avant de prendre un autre avion à destination de St. Petersburg, et cette fois, le discours était destiné à un organisme appelé Small Business Council.

Je me levai tard à la suite de mon retour compliqué par le mauvais temps, mais Bette entra finalement dans la chambre et dit: «Hé! la belle au bois dormant, le camion d'UPS est revenu et je crois qu'une autre tâche t'attend!»

Le jardinage pouvait attendre. Après mon jus d'orange, des œufs brouillés et un café, je commençai par vérifier l'état de mes nouvelles roses avant d'aller m'asseoir encore une fois sur le muret de l'enclos. À l'intérieur, de délicates fougères vertes avaient poussé de plus de 0,30 m, et il y en avait tellement qu'il était impossible de faire un pas dans l'enclos sans en écraser plusieurs tiges. Combien de fois à présent m'étais-je rendu en vain au vieil enclos? Me comportais-je comme un fou? Allait-il venir un jour?

La livraison d'UPS était constituée de plusieurs longues boîtes de carton contenant au total 18 plants de bleuets cultivés que j'avais commandés à la pépinière Miller. J'enfonçai d'abord deux piquets dans le sol rocailleux, aux frontières sud et nord de la clairière de l'est, et je tendis une forte corde blanche de l'un à l'autre afin de me guider.

Puis je poussai mon vieux dos à sa limite en creusant 18 trous très larges et très profonds à l'aide de mes fidèles outils, trous espacés de 1,52 m les uns des autres, avant d'y disposer soigneusement les buissons dans un ordre précis.

Avec le mélange approprié de tourbe et de sulphate d'aluminium, je les mis en terre de façon que, chaque année, les premiers six plants, nommés Ivanhœ et New Blueray, produisent des fruits les premiers; les six autres, de la variété Atlantic et Bluecrop, fleuriraient à la mi-saison; et les fruits géants des variétés Jersey et New Herbert apparaîtraient environ deux semaines plus tard. J'espérais pouvoir manger des tartes et des muffins aux bleuets frais pendant deux mois au moins! Et comment célébrai-je la mise en terre du dernier plant? Par une promenade de quelques centaines de mètres au terme de laquelle je m'assis sur ma pierre favorite à l'enclos. J'attendis. J'attendis en vain. Le lendemain je prenais à nouveau l'avion, cette fois en direction de Sarasota, où je pris la parole devant un auditoire chaleureux et aimable au Van Wezel Performing Arts Hall.

J'ai pour habitude d'écrire tard le soir, et depuis des années je me lève tard. Chez nous, le brunch n'a rien d'exceptionnel. Cependant, quelques jours seulement après mon retour de Sarasota, je me réveillai à l'aube, je pris une douche, me rasai et m'habillai. Bien sûr, je ne parvins pas à tout faire en silence, et au moment où je rentrais ma chemise dans mon pantalon en sortant de la chambre, Bette souleva sa tête de l'oreiller et dit: «Est-ce que tout va bien?

— Ça va très bien. Je ne pouvais pas dormir, c'est tout. Je vais me faire à déjeuner et je ferai probablement une promenade.»

Elle bâilla. «Je ne vois pas où...»

Un épais brouillard flottait près du sol lorsque je sortis et je tournai à gauche pour m'engager sur Blueberry Lane. De gros nuages de vapeur s'accrochaient encore avec entêtement aux arbres et aux rochers au moment où j'atteignis l'enclos pour m'asseoir à ma place habituelle, qui était quelque peu humide. Avec des matinées aussi humides, me dis-je, ce n'est pas étonnant que la majeure partie de la campagne du New Hampshire soit aussi luxuriante et verte.

En effet, petit à petit, au cours des dernières semaines, le vieil enclos était devenu un refuge spécial pour moi. À l'occasion de ma douzaine de visites, malgré ma déception de ne pas voir Simon, mon esprit semblait presque s'arrêter lorsque je me retrouvais dans cet endroit unique, et plusieurs heures même après en être reparti, je me sentais encore complètement détendu, revivifié et plein d'énergie.

«N'est-ce pas inhabituellement tôt pour vous, monsieur Og?»

Il était appuyé sur le mur de pierre en face de moi, et son sourire était plus étincelant qu'un lever de soleil. Je me surpris à dire, gardant mon calme et demeurant assis: «Il n'est jamais trop tôt, à condition de pouvoir passer quelques moments avec vous.»

Il sourit et acquiesça d'un mouvement de la tête, puis contourna lentement le mur et vint s'asseoir près de moi, comme il l'avait fait lors de notre première rencontre. Il me tendit sa large main, que je saisis des deux miennes.

«Vous avez été bien occupé depuis notre dernière rencontre», me dit-il avec admiration de sa voix profonde qui semblait se réverbérer dans les bois. «Des discours sur les grands secrets du succès en présence d'immenses foules à Nashville, St. Petersburg et Sarasota, sans compter les longues files de vos admirateurs désireux de vous voir dédicacer un de vos ouvrages. Et vous avez aussi fait du jardinage. Des roses! Et des plants de bleuets! Attendez de goûter les fruits de la succulente variété Jersey. Monsieur Og, l'horticulteur qui est toujours entre deux avions! Je suis extrêmement fier de vous.»

Mais cette fois, je n'allais laisser ni son charme, ni le respect ou l'amour que j'avais pour lui me détourner de mes questions. «Simon, pourquoi êtes-vous disparu, à la suite de notre dernière rencontre, avant que je puisse vous présenter à Bette? Elle a été très déçue.»

Il soupira et me tapota le genou. «Monsieur Og, j'aurais beaucoup aimé faire la connaissance de votre femme, mais elle est trop bonne pour être handicapée par le fait de me connaître personnellement. Vous savez tous les problèmes auxquels vous avez dû faire face, au cours des ans, chaque fois que l'on vous posait des questions sur moi et sur notre amitié. Pourquoi entraîner Bette dans cette association unique? Faites en sorte qu'elle puisse dire, en toute franchise, à tous ceux qui lui poseront des questions, qu'elle ne m'a jamais rencontré, et puisse la vérité la protéger.

— Vous semblez avoir une idée assez précise de ce que j'ai fait ces dernières semaines. Dites-moi, s'il vous plaît, si vous étiez sérieux lorsque vous disiez avoir suivi mes activités au cours des 15 dernières années.

— Monsieur Og, je vous ai protégé à cause de mon amour pour vous. Je voulais être informé sur-le-champ de tout malheur pouvant vous arriver afin de pouvoir venir aussitôt à votre aide.

— Simon, comprenez-moi s'il vous plaît. Je ne peux même pas trouver les mots pour vous exprimer ma reconnaissance, mais je dois lutter de toutes mes forces pour comprendre ce que vous dites. Vous m'avez protégé? C'est physiquement impossible. Le cerveau humain, le mien du moins, ne peut s'adonner à l'activité se déroulant dans une autre dimension dont vous parlez avec tant de détachement. Ce que vous dites avoir fait en ce qui me concerne est impossible...»

Simon haussa ses larges épaules. «Monsieur Og, vous plus que quiconque, devriez savoir qu'il y a bien peu de choses en ce monde qui soient impossibles. Vous abordez tellement souvent ce sujet dans vos écrits. Peut-être aimeriez-vous me mettre à l'épreuve. Pourquoi ne pas me fournir un petit indice, un petit détail relié à un incident, important ou non, survenu au cours des dernières années? Nous verrons si je puis vous fournir les autres détails.»

J'étais certain d'avoir raison de lui à la première question. Seuls quelques amis intimes étaient au courant de cet événement intéressant, mais relativement insignifiant de mon passé.

«Imelda Marcos!» lançai-je.

Il approuva d'un mouvement de la tête.

«Très bon choix. Il semble qu'il y a plusieurs années vous étiez à Manille pour faire la promotion de vos livres. Après une matinée entière d'émissions de radio et de télévision, le directeur des ventes internationales de Bantam Books, Robert Michel, et vous, êtes rentrés à l'hôtel Manila, où vous séjourniez tous les deux, pour vous reposer un peu et prendre le lunch avant les rendez-vous de l'après-midi. Le téléphone sonnait lorsque vous avez ouvert votre porte, et monsieur Michel, désireux de veiller autant que possible sur vos intérêts, s'est emparé du combiné.

En l'observant, vous vous êtes rendu compte que cet homme très intelligent fronçait les sourcils et avait quelque peu pâli; il disait «Oui, monsieur... Oui, monsieur!» finalement, il dit: «Comptez sur nous, monsieur, nous y serons!» Et dès qu'il a raccroché, il a éclaté de rire et s'est exclamé: «Vous ne le croirez pas, Og, mais cet appel provenait du palais. Il semble qu'Imelda, la femme du président, vous ait vu à la télévision ce matin et qu'elle ait été très impressionnée. Elle vous invite — et on me permet de vous accompagner — à prendre le lunch au palais. Monsieur Og, vous n'étiez pas très content. Vous rappeliez votre horaire de l'après-midi à monsieur Michel et vous disiez: «Bob, nous ne pouvons nous rendre au palais. Nous devons signer des dédicaces dans une librairie dans moins d'une heure.» Et monsieur Michel vous a répondu: «Og, lorsque le palais vous appelle, vous devez y aller.» Vous y êtes allés tous les deux, vous avez passé un moment très agréable et madame Marcos a vu son souhait exaucé.»

Le vieillard n'avait pas commis une seule erreur. J'essayai une autre méthode et je dis: «L'année 1983?

— Il s'agit d'une année vraiment excellente pour vous, monsieur Og. On vous a décerné la première médaille d'or Napoleon Hill pour vos réalisations littéraires, et vous avez aussi reçu le très convoité CPAE Award de la National Speakers Association, qui constitue la plus haute récompense décernée par ce groupe. Puis, en 1984, vous êtes devenu la 14e personne à être admise dans le International Speakers Hall of Fame, vous joignant ainsi à un groupe de distingués orateurs tels que Red Motley, Richard DeVos, Bill Gove, Cavett Robert et Norman Vincent Peale.»

Je refusais d'abandonner. «Au mois de septembre dernier... à la cathédrale de Notre-Dame?»

Il leva la tête et porta son regard sur les pins et les érables. Finalement, il dit: «Bette et vous étiez avec le groupe de tournée de l'église Church of Today de Warren, au Michigan. À mesure que progressait l'importante masse des gens, suivant le guide à travers l'église bondée, vous vous êtes arrêté pour allumer un lampion à la mémoire de vos parents, et lorsque vous vous êtes relevé après une brève prière, vous aviez les larmes aux joues. Alors que vous vous efforciez de rattraper Bette et votre groupe, vous avez jeté un coup d'œil à votre gauche et vous avez aperçu le ministre du culte de Church of Today, Jack Boland, se tenant à 6 m de vous environ et vous observant avec un air de compassion et de tendresse. Puis, vous vous êtes salués de la main. C'était un moment spécial dans un lieu spécial, n'est-ce pas, monsieur Og?»

Maintenant j'étais certain de pouvoir le prendre au piège. «Combien de lampions ai-je allumé?»

Il n'eut pas la moindre hésitation. «Vous avez tenté d'en allumer deux, un pour chacun de vos parents, et vous aviez déposé un billet de 10 $ dans la boîte métallique pour les payer. Cependant, après avoir allumé le premier, vous n'avez jamais réussi à en allumer un second. Vous vous êtes alors dit que, vos parents ayant tout partagé de leur vivant, ils n'auraient pas d'objections à partager un lampion... et vous êtes parti.»

Nul ne pouvait savoir que j'avais pensé à faire partager un lampion à mes parents. Je crois que je n'avais même pas raconté cet incident à Bette.

«En voilà une autre. Il y a plusieurs années, lorsqu'une édition espagnole de mes livres, publiée par la firme Editorial Diana de Mexico, est devenue disponible à travers l'Amérique centrale et l'Amérique du Sud, j'ai été invité à prendre la parole dans plusieurs pays au sud de la frontière. Qu'a fait pour moi le ministre hondurien de la défense lors de mon séjour dans la capitale de ce pays?

— Bien sûr, monsieur Og, on se préoccupait à juste titre de votre sécurité, alors on vous a affecté un garde du corps armé pendant 24 h par jour, et ce, à partir du moment même de votre arrivée. Deux soldats vous accompagnaient constamment, partout, ce qui vous causait un certain malaise lorsque vous faisiez des courses ou alliez au restaurant. Ils dormaient même à l'extérieur de votre chambre d'hôtel à Tegucigalpa, et ils parlaient toute la nuit, plutôt fort, ce qui nuisait à votre sommeil, n'est-ce pas?»

— Quel hôtel?

— L'hôtel Honduras Maya. Et, monsieur Og, vous avez été très gentil à l'égard des jeunes hommes armés qui vous accompagnaient. Vous rappelez-vous que vous envoyiez toujours votre serveur à leur table en insistant pour qu'ils soient vos invités?»

Je secouais la tête, incrédule. «Essayons encore. Le golf... et l'Afrique du Sud?»

Le vieil homme rit et posa sa main sur sa bouche comme si nous avions partagé les détails de cet épisode. «La popularité de vos livres à travers le monde a été un miracle de l'édition, monsieur Og, et il y a quelques années vous avez entrepris une tournée de conférences intensive en Afrique du Sud. Apparemment, votre réputation d'amateur de golf vous avait précédé, et les gens qui s'occupaient de votre venue à Durban ont prévu un match de golf pour vous, car vous aviez un après-midi libre. Ils ont aussi eu la gentillesse de vous fournir des chaussures de golf de votre pointure, de bonnes crosses de golf, des Hogan, avant que vous ne posiez la question — et un caddy, et de nombreux membres de la presse locale étaient sur place, sans compter une équipe de la télévision.

«Vous avez été quelque peu déçu lorsqu'on vous a présenté les trois autres membres de votre groupe de quatre, car il s'agissait de femmes, bien que vous ayez tenté de dissimuler vos sentiments. Mais votre attitude s'est complètement modifiée après que les femmes eurent joué leur coup de départ au premier tertre: chacune d'elles avait expédié sa balle à 225 m au moins, c'est-à-dire plus loin que la vôtre. Bien sûr, il ne vous a pas fallu beaucoup de temps pour constater qu'un blagueur s'était arrangé pour vous faire jouer avec trois des meilleures golfeuses professionnelles du pays. Heureusement pour vous, elles avaient toutes trois insisté pour que les mises soient relativement peu élevées, et ce, avant même de jouer leur premier coup, sinon vous auriez risqué de laisser une bonne partie de vos honoraires de conférencier à Durban.»

— Simon, il y a plusieurs années, lorsque Bantam Books a publié *L'Université du succès**, j'ai fait plusieurs émissions de radio et de télévision à travers le pays. L'une de ces émissions était le Today. J'étais assis en coulisses, 15 minutes avant d'entrer en studio, lorsque Jane Pauley est venue me dire quelque chose. De quoi s'agissait-il?»

Simon sourit. «Combien de personnes dans le monde le savent, monsieur Og?

---

*   Publié aux éditions Un monde différent en trois tomes.

— Jane et moi seulement. Peut-être l'ai-je dit à Bette par la suite. Trois personnes tout au plus.

— Eh bien, cette très jolie femme avait une petite feuille de papier à la main et elle vous a dit qu'elle allait passer en revue avec vous les questions qu'elle vous poserait une fois en ondes d'un océan à l'autre. Vous l'avez remerciée et vous l'avez étonnée en disant que vous n'aviez pas besoin de prendre connaissance des questions, car vous étiez certain de trouver quelques réponses intéressantes. Votre réponse l'a surprise, car elle a dit qu'on ne la lui faisait pas souvent, mais elle a accepté.

— Comment m'en suis-je tiré?»

Le vieillard ne mentait jamais. «Plutôt bien», dit-il, se frottant légèrement les mains.

Je tenais toujours le coup. «Simon. Il y a deux mois, le 2 mars exactement, qu'est-il arrivé?

— Bette et vous êtes allés à Phœnix où, ce samedi soir, vous avez prononcé une allocution au nom de la Seventh Step Foundation devant une salle comble au Arizona Biltmore. Ce qui a rendu cette soirée très spéciale pour vous, c'est qu'avant que vous parliez, on a lu une proclamation de Rose Mofford, gouverneur de l'Arizona, stipulant que ce jour était officiellement le Jour Og Mandino en Arizona. Vous devez avoir été extrêmement fier.

— Je l'ai été. Et maintenant dites-moi, Simon, le nom de l'homme qui a fait lecture de la proclamation.»

Un rire profond monta de sa gorge, puis il s'essuya soigneusement les yeux, secoua la tête et dit: «Mais c'est votre vieil ami, le meilleur animateur de tribune télévisée d'Arizona, Pat McMahon!»

Je ne savais que dire, donc je restai silencieux. Finalement Simon se leva et posa les mains sur mes épaules, la tête juste assez inclinée pour me regarder directement dans les yeux.

«Assez?

— Assez», répondis-je.

«Monsieur Og, je me rends compte à quel point vous êtes occupé, mais vous et moi devrions faire tous les efforts possibles pour nous revoir... et bientôt. Je suis certain que nous pouvons tous deux tirer profit de nos discussions, comme nous l'avons fait par le passé, et je prie avec ferveur pour que nous puissions parler régulièrement, une fois par semaine peut-être. Il y a beaucoup de sujets à couvrir. Le monde est dans un état terrible et peut-être vous et moi pouvons-nous apporter notre aide comme nous l'avons déjà fait. Serais-je trop présomptueux si je suggérais que nous tentions de nous rencontrer le mardi matin à 9 h? Cela vous convient-il?

— Même le mardi à minuit me conviendrait en ce qui vous concerne, cher ami. Au cours de la semaine prochaine je serai très occupé, mais je me libérerai mardi à 9 h.

— Merveilleux! Ici? Dans cet ancien enclos que nous avons adopté?

— Parfait.

— Quel fantastique lieu de réunion pour nous, monsieur Og. Nous avons tous deux fait notre part pour ce qui est de sauver et de redonner espoir à ceux qui étaient perdus et découragés. Moi avec mes muscles, ma patience et mes larges épaules, et vous avec vos livres, vos paroles d'espoir et vos conseils, et nous voici, après toutes ces années, réunis à nouveau dans un lieu unique, construit il y a longtemps pour héberger et protéger des créatures égarées de Dieu. Cela convient parfaitement.»

Je m'apprêtais à répondre, mais je m'arrêtai à temps. Le fait de dire à Simon que je croyais que Dieu était en train de jouer aux échecs avec nous ne me semblait pas très sage.

— VII —

À mon arrivée à l'enclos, le mardi matin suivant, Simon était déjà assis sur le muret de pierre faisant face à Blueberry Lane, les bras croisés, sa pipe de maïs éteinte pendant au coin de sa bouche. Il était vêtu d'un tricot grossier de couleur blanche, trop grand pour lui, le col relevé, et il se retourna et me sourit en m'entendant approcher.

«Regardez autour de vous, monsieur Og», dit-il, me montrant du doigt le lierre envahissant les pierres de l'enclos et les épais bouquets de lys en fleur près de la route. «Comme le disait un jour Benjamin Franklin: «L'heure matinale a de l'or dans la bouche.»»

M'efforçant de trouver à mon tour une citation, je répondis: «Maintenant, ami cher, respirez profondément. Ainsi que l'écrivait Milton: «La douceur est l'haleine de l'aube...»»

Il acquiesça et dit: «Bien sûr, vous devez connaître l'un des grands hommes du New Hampshire, Daniel Webster, orateur, avocat et politicien superbe...

— Bien sûr.

— Eh bien, un jour, sans doute après une période difficile et se sentant nostalgique, il a écrit ceci: «Les citadins savent peu de chose sur le matin. Parmi tous nos citoyens, il n'y en a pas un sur mille qui voie le soleil se lever une fois par année. Ils ne savent rien du matin. L'idée qu'ils s'en font est qu'il fait partie du jour qui commence après une tasse de café et une tranche de pain grillé. Pour eux, le matin ne marque pas l'arrivée d'une nouvelle lumière, une nouvelle manifestation du soleil, un réveil de tout ce qui vit d'une sorte de mort passagère, pour se manifester à nouveau dans l'œuvre de Dieu, dans les cieux et sur terre; ce n'est qu'une partie de la journée, consacrée à lire les journaux, à répondre à des notes, à envoyer les enfants à l'école et à penser au repas du midi. Le premier rayon de lumière, la première lueur provenant de l'est, que l'alouette salue de son chant, et la coloration de plus en plus intense d'orange et de rouge, jusqu'à ce qu'apparaisse dans toute sa splendeur, l'astre du jour, tout cela ils ne peuvent l'apprécier, car ils ne le voient jamais.

«Je n'ai jamais cru qu'Adam avait été choyé d'avoir vu le monde alors qu'il était neuf. Les manifestations de la puissance de Dieu, comme ses bénédictions, se renouvellent chaque matin et à tout moment. Nous voyons d'aussi beaux levers de soleil que n'en a vu Adam; et ces levers de soleil sont aussi miraculeux aujourd'hui qu'ils l'étaient à l'époque, et même plus à mon avis, car il se lève depuis des milliers et des milliers d'années à l'heure prévue, sans varier d'un millionième de seconde. Je connais le matin, il m'est familier et je l'adore. Je l'aime tel qu'il est, frais et doux; il est une création quotidienne, se manifestant et conviant tout ce qui vit et respire à une nouvelle adoration, de nouvelles bénédictions et une nouvelle gratitude.» Imaginez des paroles aussi sensibles et aimables, monsieur Og, sortant de la bouche d'un homme aussi dur que Daniel Webster.

— Simon Potter, vous ne cessez jamais de m'étonner!

— Si je lis quelque chose qui me touche profondément, je le classe dans mon cœur. Dans votre ouvrage le plus récent: *Une meilleure façon de vivre*, vous avez écrit un chapitre très prenant sur un chauffeur de taxi noir et vous à Nashville. Aimeriez-vous que je vous le récite?

— Non, non, Je vous crois!

— Dites-moi, avez-vous aimé la réunion du 50e anniversaire de vos camarades de collège, samedi soir dernier?»

Venant de lui, ce genre de question ne m'étonnait même plus. «Cela a été un coup terrible, une grande déception pour moi. J'attendais cette soirée spéciale depuis plusieurs mois car je n'avais pas revu mes camarades depuis ce soir du mois de juin 1940, alors que nous étions tous descendus de la scène du Colonial Theatre de Natick, nos diplômes en mains. Ma mère était décédée quelques mois plus tard, j'étais parti à la guerre et je n'étais jamais vraiment retourné à Natick après la fin des hostilités. Je tentai de me mêler à un groupe d'étrangers qui me semblaient très vieux, très usés et très mélancoliques. Plusieurs d'entre eux, ainsi que j'allais l'apprendre par la suite, ne s'étaient jamais aventurés très loin, de toute leur vie, de cette belle petite ville où nous avions grandi et étudié.

— Étaient-ils contents de votre grande réussite?»

Je me mis à rire. «Simon, cela a été une grande leçon d'humilité, et je crois que j'en avais besoin. Seuls quelques-uns d'entre eux avaient entendu parler de moi, avaient lu certains de mes livres, m'avaient entendu lors d'une conférence ou m'avaient vu à la télévision. À plusieurs reprises, au cours de la soirée — et Bette, qui m'accompagnait, trouvait cela vraiment amusant — un visage peu familier se présentait devant moi, nous lisions mutuellement nos insignes sur lesquelles nos noms étaient écrits, nous discutions de choses et d'autres pendant une minute ou deux, puis on me demandait ce que je devenais dans la vie. J'ai été plusieurs fois tenté de dire que je venais d'être libéré après une longue peine de prison ou que je dirigeais la plus importante opération de jeu illégal de l'est de Boston...

— Et comment avez-vous vraiment réagi?

— Je disais simplement que j'étais écrivain.»

Le rire du vieil homme se répercuta à travers les bois; il se tapait sur les cuisses. «Un écrivain? Comme Greg Norman est un golfeur... et Frank Sinatra un chanteur!

— Il n'y a que vous pour parler ainsi. Merci. À deux ou trois reprises au cours de la soirée, j'ai rencontré des femmes dont j'avais été très amoureux pendant mes études. Après avoir évoqué un souvenir ou deux avec chacune d'elles, je remerciais Dieu en silence d'avoir fait en sorte que mes avances audacieuses et inexpérimentées de l'époque ne m'aient pas conduit à quoi que ce soit de sérieux ou de permanent. En résumé, Simon, une soirée déprimante. C'était vraiment triste de se rappeler les visages radieux et souriants de 1940 et de constater qu'ils avaient été remplacés, à quelques exceptions près, par des figures fatiguées et amorphes ne projetant qu'une sombre impression de découragement dans tous leurs gestes et toutes leurs paroles. Il me semblait que la plupart d'entre eux attendaient simplement qu'on les enterre, car leur vie était déjà finie. J'ai été si heureux de sortir pour retrouver l'air frais de la nuit.»

Simon acquiesça. «Le nom de Gian-Carlo Menotti vous dit-il quelque chose?

— Bien sûr. Noël... la télévision... Amahl and the Night Visitors.

— Oui. Ce brillant compositeur, enseignant, cinéaste et auteur de dramatiques télévisées a dit un jour que l'enfer commence le jour où Dieu nous donne une vision claire de tout ce que nous aurions pu réaliser, de tous les dons que nous avons gaspillés, de tout ce que nous aurions pu faire et que nous n'avons pas fait.

— Et je ne peux imaginer un pire enfer, même si je suis persuadé que la plupart de mes camarades d'études, comme la majorité de la population, n'ont aucune idée de ce qu'ils auraient pu faire de leur vie. Cependant, malgré un dur samedi soir, le voyage de retour au Massachusetts n'a pas été totalement perdu. Le lendemain de la réunion, Bette et moi sommes allés prendre le thé chez une amie très spéciale, une camarade du collège de Natick, Jean Foley. Elle avait fait face à plusieurs difficultés dans la vie, mais elle avait élevé une belle famille et était demeurée la personne dynamique et vive que j'avais connue plus jeune. Après notre visite chez Jean, Bette et moi avons parcouru plusieurs pâtés de maisons, suivant mes directives, et soudain il était devant nous. Le vieux terrain d'athlétisme, Coolidge Field, où le collège de Natick avait joué ses matchs de football et de base-ball et où s'étaient déroulées ses compétitions d'athlétisme un demi-siècle auparavant.

«Il existait maintenant un nouveau collège et un nouveau stade, plusieurs kilomètres plus loin, mais Coolidge Field était encore en excellente condition et était de toute évidence utilisé fréquemment par les équipes locales de base-ball. Je demandai à Bette d'arrêter la voiture, je descendis et je franchis la porte ouverte de la clôture de fil de fer alors qu'elle demeurait dans l'auto à m'observer d'un air étonné.

«À l'extrémité du terrain, deux petits garçons se lançaient une balle, et sur l'un des côtés, là où s'étaient déjà dressés les vieux gradins de bois, un homme de forte taille essayait de frapper des balles de golf de couleur jaune en direction d'un chapeau de paille rouge posé sur le sol à 50 mètres environ. Soudain, sans trop que je sache ce qui m'arrivait, je me mis à courir le long de ce qui avait déjà été la piste du quart de kilomètre qui avait entouré le terrain. J'accélérai un peu le pas en arrivant au premier tournant. Cinquante ans auparavant, c'était l'endroit, près du marbre de l'équipe de base-ball, où je donnais toujours le maximum lorsque je courais le quart de kilomètre. Je poursuivis ma course, abordant ce qui avait jadis été le dernier droit de 100 mètres menant au fil d'arrivée, et j'accélérai le plus possible, jusqu'au lieu où avait toujours été tendu en travers de la piste le ruban blanc indiquant le fil d'arrivée, fil que j'avais eu la chance de rompre à plusieurs reprises lors de ma dernière année d'études. À bout de souffle, je sortis avec difficulté du terrain, jetai un dernier regard à cet endroit de rêve, essuyai quelques larmes et remontai dans la voiture. Bette ne prononça pas un mot, et je lui en suis reconnaissant.»

La voix de Simon était presque un murmure lorsqu'il me demanda: «Monsieur Og, vous rappelez-vous ce que vous avez réussi sur ce même terrain l'après-midi du 2 mai de votre dernière année d'études? Ce jour-là, après que votre rencontre avec l'équipe du Wayside Inn School eut été retardée de plusieurs heures en raison de la pluie, vous avez réalisé un exploit qui n'a jamais été égalé par un seul des grands athlètes de votre collège: vous avez remporté le 100 mètres, le 220 mètres et le quart de kilomètre! Une triple victoire!

— Je me rappelle les trois courses. Et je possède encore quelques vieilles coupures de journaux quelque part. Vous savez, Simon, si je repense à cette réunion, je crois que le plus difficile pour moi, et probablement pour tous les autres, était d'accepter le fait que 50 ans s'étaient écoulés. Le fait d'avoir rencontré mes vieux camarades et de me comparer à eux me l'a rappelé avec force, mais il me semble encore que je n'ai terminé mes études que le mois dernier.

— Monsieur Og, permettez-moi de vous aider à voir plus clair dans tout cela. L'année où vous avez reçu votre diplôme, Jack Dempsey a pris sa retraite, le premier chèque de sécurité sociale de l'histoire a été remis, la population de ce pays n'était que la moitié de ce qu'elle est aujourd'hui, la moyenne industrielle de l'indice Dow Jones n'était que de 200, on réussissait le premier vol en hélicoptère, les voitures neuves de marque Ford, Plymouth et Chevrolet coûtaient moins de 900 $, et le livre le plus populaire était *For Whom the Bell Tolls*, de l'un de vos auteurs favoris.»

Je gardai le silence, et il poursuivit en disant: «Vous deviez vous rendre à cette réunion. Tous les enfants sont innocemment cruels envers leurs semblables, et vos parents bien aimés, ayant tant lutté pour échapper à la pauvreté, vos camarades se sont arrangés pour vous infliger d'importantes blessures pendant vos études. Vous m'avez déjà raconté à quel point vous étiez envieux des autres, avec leurs vêtements neufs et leur argent de poche, alors que vous n'aviez rien de tout cela. Lors de la réunion, vous avez enfin pu voir d'un regard neuf ces mêmes personnes. Je me demande combien d'autres millionnaires, qui ont fait leur fortune tout seuls, assistaient à cette réunion. Je suis si content que vous y soyez allé.

— Après vous avoir écouté, je le suis aussi. Bette et moi avons aussi fait une visite prévue depuis longtemps au cimetière le dimanche; nous sommes allés dire «bonjour» à mes parents. Il y a aujourd'hui beaucoup plus de pierres tombales dans le secteur où ils sont enterrés qu'il n'y en avait lorsque je me suis agenouillé, j'ai prié et j'ai pleuré il y a si longtemps. Mes parents ne sont pas là de toutes façons. J'ai toujours eu le sentiment que, si je voulais leur parler, je n'avais qu'à sortir dans le jardin, à regarder vers le ciel et à parler.»

Simon me caressa doucement la tête, comme il l'avait déjà fait si souvent. «Je suis très content que vous ayez retrouvé vos racines. Cet État unique est une partie très spéciale du pays, et bien que le New Hampshire ait tant à offrir, il demeure l'un des secrets les mieux gardés au pays. Saviez-vous que près de 90 % du territoire de cet État est recouvert d'arbres? On y retrouve près de 2 000 lacs et étangs, 200 montagnes de plus de 915 m d'altitude de même que 32 km de rivages recouverts de sable blanc.

— Vous aimez vraiment cet endroit où je compte passer le reste de ma vie, n'est-ce pas?

— Dans notre monde de bruits et de foules, de pollution et de circulation automobile, nous sommes très près du paradis ici, monsieur Og. Cavernes glaciaires, fruits sauvages, bouleaux blancs, grands pins, interminables pistes de ski, pommiers partout, panoramas magnifiques au sommet du mont Washington, rue principale la plus large d'Amérique à Keene, 200 îles habitables sur le lac Winnipesaukee et, bien sûr, le spectacle magnifique et grandiose du début de l'automne lorsque des milliers d'érables explosent en rouges flamboyants et en ors marqués de touches de rose et de safran, pour inviter tous les touristes à arrêter leur voiture et à prendre quelques photos de plus. J'aime beaucoup votre État, votre pays et votre maison. Bette et vous avez fait un choix sensé. Il vous reste encore beaucoup d'années productives dans cet environnement paisible, sur ce chemin de terre isolé, mon ami, car ici vous jouirez des deux avantages auxquels Robert Frost, le grand poète du New Hampshire, dit devoir la majeure partie de son inspiration d'auteur. Connaissez-vous bien l'œuvre de monsieur Frost?

— Oui. Celui de ses livres que je préfère est *A Witness Tree*.»

— J'ai toujours été touché par son poème intitulé «The Gift Outright», qu'il a lu à l'occasion de l'inauguration du président Kennedy. Je crois que je me le rappelle encore en entier.

Je me mis à rire. «Je n'en doute pas.

— Lorsque Frost était jeune homme, dans la vingtaine, il s'est installé sur une ferme à Derry, pas très loin d'ici, et il a dit par la suite que les 10 années qu'il y avait passé, consacrées à l'agriculture et à un peu d'enseignement, avaient joué un rôle important dans ses succès ultérieurs, alors qu'il allait obtenir à quatre reprises le prix Pulitzer et être nommé poète lauréat des États-Unis. À la ferme, il a rédigé plus de la moitié de son premier livre, une partie de son deuxième et même des pages de son troisième, et tout cela allait être publié et faire l'objet d'éloges par la suite. Les deux avantages qui ont fait toute la différence dans la vie de cet homme brillant, au cours de ses années à la ferme, ont été, comme il l'a confié à un ami, les seuls éléments qu'il possédait en quantité: le temps et l'isolement. Il admettait par la suite qu'il n'avait rien prévu de tout cela, car il avait du mal à faire des projets, mais que le temps et le calme qui lui avaient permis de réfléchir et de méditer s'étaient avérés des éléments parfaits dans le façonnement de son avenir. Le temps et l'isolement, monsieur Og, peuvent très bien s'avérer les atouts les plus précieux que chacun de nous possède dans sa course frénétique vers le XXIe siècle.

— Eh bien, répondis-je en secouant la tête, si votre prédiction est juste, je serai vraiment un homme riche, car j'aurai certainement ces deux éléments en grande quantité. Lorsque je regarde par la fenêtre de mon studio en janvier et que je vois 1,22 m de neige à l'extérieur, je n'ai pas grand-chose à faire si ce n'est de placer une autre bûche sur le feu et une autre feuille de papier dans la machine à écrire.»

Simon eut un sourire forcé et ferma presque les yeux, ce qui annonçait de l'ironie ou un défi de sa part. «Peut-être, monsieur Og, qu'un jour d'hiver vous regarderez dehors et vous aurez le même choc que celui qui a surpris tous les gens de cette région à la fin du mois d'avril de 1933. Apparemment, il s'était mis à neiger après minuit, et la neige fut si abondante qu'il y en avait presque 0,90 m d'épaisseur à l'aube. Cependant, cette neige était différente de tout ce que l'on avait pu voir jusque-là dans le monde! Elle était bleue! De la neige bleue...

et la température frôlant les 4,4°C la majeure partie de la journée du lendemain, cette neige bleue n'était pas demeurée au sol très longtemps. Jusqu'à ce jour on n'a jamais eu aucune explication, ni du gouvernement, ni des milieux scientifiques, de ce mystère, et de l'avis des météorologues, ce fut la seule averse de neige bleue enregistrée dans toute l'histoire du monde! Peut-être pourrez-vous raconter cet événement étrange et rare dans l'un de vos livres un jour.»

Voilà! C'était le moment! L'occasion ne serait jamais mieux choisie. Pour ma propre paix d'esprit et celle de Bette, j'avais désespérément besoin de certaines réponses de sa part. J'essayai de trouver les mots justes, mais cela n'était pas facile, et je laissai simplement parler mon cœur.

«Simon, lui dis-je, je vous ai aimé, et cela presque dès que je vous ai vu la première fois, debout dans le vieux stationnement à Chicago, et l'influence que vous avez eue dans ma vie est inestimable. Au cours des dernières minutes, vous avez fait allusion à mon avenir à deux reprises. Vous avez dit qu'il me restait plusieurs années productives, raison pour laquelle vous étiez si heureux de me voir dans cet environnement, et vous venez tout juste de dire que je devrais peut-être raconter l'histoire de la neige bleue du New Hampshire dans un livre un jour. Combien de ces «jours» me reste-t-il? Pour ma tranquillité d'esprit et celle de Bette, auriez-vous la bonté de répondre à deux questions?»

Le vieillard se leva, étira son corps de géant et fit quelque pas parmi les fougères pour aller s'appuyer sur le mur plus élevé qui se trouvait devant moi. «Premièrement, cria-t-il presque, vous aimeriez savoir si, à mon âge, je suis toujours chiffonnier, si je recueille encore les êtres humains qui ont atteint le fond du baril pour les guider vers ce sentier lumineux qui conduit à la paix de l'esprit, la fierté, la réussite, l'espoir et le bonheur. La réponse est oui, même si j'ai réduit un peu mes activités. En ce qui concerne la seconde question, beaucoup plus importante, à laquelle vous voudriez que je réponde, j'imagine que vous voulez savoir pourquoi, après ma disparition apparemment impardonnable d'il y a plusieurs années, suivie de ma longue et silencieuse absence, je suis soudain réapparu dans votre vie, à moins que je n'aie quelque raison de croire que quelque chose de terrible est sur le point de vous arriver et que je veuille être en mesure de faire tout ce que je peux pour sauver un bon ami. Suis-je dans le vrai?»

J'acquiesçai, me sentant encore une fois très impuissant face à ses mystérieux pouvoirs.

Simon revint s'asseoir près de moi, allongea le bras en se penchant, cueillit une grande fougère et se mit à l'observer intensément en faisait tourner la délicate tige dans son énorme main.

«Monsieur Og, votre ami Thoreau a déjà fait une observation très sage en déplorant le fait que beaucoup de gens mènent une vie de désespoir tranquille. Leur nombre s'est accru de façon radicale dans ce pays depuis que vous et moi avons fait connaissance au début des années 70. C'est bien triste. Il semble y avoir une épidémie de désespoir et de découragement qui balaie le pays, et pour bien des gens, le précieux don de la vie est devenu une sorte de terrible condamnation à la misère éternelle et aux larmes. Presque chaque jour, semble-t-il, un nouveau gadget exotique, électronique ou mécanique, nous est suggéré, promettant de nous faciliter la vie ou de nous donner un peu plus de précieux temps de loisir. Et au contraire, nous découvrons que nous avons besoin de toutes ces nouvelles et coûteuses machines pour accroître notre productivité et être concurrentiels! Aujourd'hui, comme papa, maman fait désormais partie pour de bon du marché du travail, non pas pour que la famille s'offre un peu de luxe, mais pour empêcher le ménage de s'endetter davantage.

«Pendant ce temps, bien sûr, les enfants s'efforcent du mieux qu'ils peuvent de voler de leurs propres ailes. Et puis, après avoir traversé une dure et longue journée de labeur et de tensions et subi les horreurs d'une circulation presque impossible, il reste peu de temps ou d'énergie pour s'occuper de ses enfants ou de son conjoint. Les résultats sont, bien sûr, tragiques. Entrez dans n'importe quel collège important, mon ami, et on dit que vous découvrirez que la moitié des étudiants sont les enfants de parents divorcés, et que ces enfants confus seront dans plusieurs cas des rebuts de la société. Je crains, monsieur Og, que les gens qui jouissent vraiment des bienfaits du rêve américain ne soient en train de devenir une espèce menacée, parce que le monde tel que nous l'avons connu est, hélas, en voie de disparition.»

Je n'ajoutai rien, m'efforçant de me concentrer sur ses paroles pour me les rappeler plus tard.

«Même il y a 15 ans, poursuivit-il, lorsque nous nous sommes rencontrés, il n'y avait pas assez de chiffonniers pour recueillir tous les gens qui avaient besoin d'aide et de conseils pour trouver la voie qui conduit à la fierté et à la satisfaction personnelle. Réfléchissez à ce terrible fait de la vie: en cette journée merveilleuse, pendant que nous sommes assis dans ce décor idyllique, plus de 4 000 000 de sans-abri arpentent les rues de notre pays, affamés et craignant pour leur sécurité, sans compter un autre million d'individus qui se trouvent derrière les barreaux. Malheureusement, rien ne me permet d'espérer que quoi que ce soit puisse empêcher cette terrible horde de gens perdus de voir ses rangs prendre de l'importance au cours des années à venir. Les quelques chiffonniers disponibles peuvent toujours guider ceux dont ils s'occupent, mais ils ne peuvent certainement pas faire face à l'épidémie d'envergure nationale qui nous menace.»

Il fit une pause et fixa intensément ses beaux yeux bruns sur les miens afin de s'assurer qu'il avait toute mon attention. «Monsieur Og, tout comme le vaccin Salk a protégé des millions de personnes des effets pernicieux de la polio, nous avons aujourd'hui désespérément besoin de moyens qui nous permettraient de mettre rapidement un frein à cette grande épidémie d'échecs et de désespoirs. Je ne suis qu'un pauvre chiffonnier, mais j'ai finalement décidé que quelqu'un devait faire quelque chose, et cette personne, c'était moi! Je n'avais rien à perdre en essayant, et un monde à sauver en réussissant, mais vous devez compren-

113

dre combien cette décision était difficile à cause de mon grand âge.

«Malgré toutes vos bonnes paroles quant à ma condition physique, je me rendais compte que j'avais déjà atteint un âge exceptionnel et qu'il me restait peu de temps pour accomplir ma mission. Ainsi, en pensant à tout cela, je suis venu ici, en Nouvelle-Angleterre, il y a plus d'un an, à la recherche d'un lieu tranquille et isolé où je pourrais concentrer toute mon attention et toutes mes années d'expérience à sauver le genre humain. Mon but était de mettre au point un nouveau remède, une drogue miracle constituée de quelques mots, si vous préférez, qui contiendrait les ingrédients les plus simples et les plus puissants pouvant prémunir les gens contre l'infection du doute et de la futilité tout en les guidant, grâce au pouvoir de leur propre esprit, vers la découverte de la satisfaction, de la paix et d'une nouvelle estime de soi.

«Pourquoi avez-vous choisi la Nouvelle-Angleterre, et pourquoi une route secondaire du New Hampshire?»

— À cause de vous. Je me suis souvenu de la façon aimante et nostalgique dont vous décriviez toujours ce merveilleux paradis sur terre chaque fois que nous parlions à Chicago. Si vous aimiez tant cette région, je savais que je l'aimerais aussi.»

Simon joignit les mains et les frappa ensemble à plusieurs reprises. «Et ainsi, poursuivit-il, un jour j'ai atterri ici, à Langville, et j'ai immédiatement été séduit par l'arrière-pays et les érables rouges, et j'ai été assez chanceux pour trouver un confortable chalet qui m'a parfaitement convenu au cours de la dernière année, alors que je m'efforçais de transformer les leçons que j'ai reçues de la vie en une médecine efficace dont tout le monde, tout le monde pourrait profiter pour changer sa vie pour le meilleur en cette veille du XXIe siècle et de ce 3e millénaire.»

Je fus incapable de retenir un profond soupir de soulagement. «Alors vous n'êtes pas venu me sauver d'un terrible destin?»

Le vieillard leva très haut sa main droite. «Je vous jure que j'ai été aussi étonné que vous lorsque nous nous sommes de nouveau rencontrés... et cela m'a aussi fait très plaisir, bien sûr. Réfléchissez à l'étonnante statistique suivante si vous le voulez bien, cher ami. Dans 2,6 km² de territoire, il y a plus de 17 000 lots de 12 m sur 12 m, soit, à mon avis, l'étendue approximative de ce vieil enclos. Et l'étendue totale des États-Unis est de 9 324 000 km² ou plus de 60 000 000 de terrains de la taille de cet enclos. Quelles étaient les chances que vous et moi nous nous rencontrions ici, après 15 ans sans nous voir, dans ce petit espace de 3,72 m²? Les probabilités étaient de plus de 62 000 000 contre une! Toute une loterie, si vous me passez l'expression. Non, monsieur Og, notre rencontre ne peut être qu'un miracle, et rien d'autre, de même que la réponse à mes prières.

— Vos prières?

— Oui, j'agis exactement comme vous lorsque je fais face à une situation que je ne peux résoudre. J'essaie de trouver un endroit tranquille, de m'agenouiller si possible, de joindre les mains, de lever les yeux au ciel et de dire simplement: «J'ai besoin d'aide.» Cela a toujours été efficace par le passé, et cette fois-ci encore! Monsieur Og, je sais exactement ce qu'il faut dire aux gens et ce qu'il faut leur conseiller pour qu'ils transforment leur vie pour le meilleur mais, mais... au cours des longs mois que j'ai passés ici j'ai découvert une triste vérité à mon sujet. À mon âge, je ne suis plus capable de mettre mes pensées par écrit de manière à leur donner la puissance et la clarté qu'elles avaient, il y a plusieurs années.

— Je ne comprends pas. Vos paroles sont aussi belles et cohérentes qu'à l'époque, et il n'y a certainement rien qui cloche avec votre mémoire. Vous devriez avoir de la facilité à écrire.»

Il soupira de nouveau et secoua la tête d'un air dégoûté. «Croyez-moi, monsieur Og, la vérité est tout autre, et je crains que ma mission ici soit vouée à l'échec. J'espère, en souvenir du bon vieux temps, que vous m'accorderez une faveur et que vous me rendrez visite à mon chalet mardi prochain plutôt que de venir me rencontrer ici. Ce n'est pas loin. Vous n'avez qu'à continuer sur Old Pound Road sur une distance de 200 m environ, puis à prendre l'étroit sentier à votre gauche. Suivez ce sentier qui vous amènera directement devant ma porte. Viendrez-vous monsieur Og? S'il vous plaît?

— Bien sûr. Votre invitation m'honore. Je vous en remercie.»

Il saisit la croix de bois suspendue à son cou par une lanière de cuir et émit un soupir. Puis il m'embrassa doucement. «Non, non. C'est moi qui vous remercie! C'est moi! J'étais certain que je pourrais compter sur vous, car j'ai vraiment besoin de votre aide.»

Simon Potter me demandant de l'aider?

Ça, c'était un miracle!

— VIII —

Vers la fin du printemps, au moment où les fleurs sauvages sortent de leur longue hibernation dans nos bois et nos clairières, j'étais très agacé par la difficulté que j'avais à identifier par leur nom la majorité de ces vagabonds floraux de Mère Nature, alors je passai de longues et intenses heures, comme si je faisais de la recherche en prévision d'un livre, à parcourir des guides pour reconnaître et mieux comprendre les fleurs sauvages du New Hampshire.

Le mardi matin, alors que je me rendais au chalet de Simon, je découvris plusieurs bouquets de fragiles stellaires, munies de sept gracieux pétales blancs, compléments parfaits de leurs longues étamines dorées. Près d'elles, se trouvaient environ une douzaine de massifs de fleurs indiennes, avec leurs tiges pâles, translucides et leurs gracieuses têtes inclinées surgissant de la bordure feuillue du côté nord de Blueberry Lane. Lorsque je trouvai finalement l'étroit sentier décrit par Simon, je quittai Old Pound Road et je fus soudain entouré de masses de fleurs sauvages avec leurs épis pointus d'un rose foncé s'élevant presque à la hauteur de mes yeux. J'avançai lentement, les bras tendus pour écarter doucement les tiges rigides de ces grandes et majestueuses beautés sans les endommager.

Notre secteur de Langville surplombe de plusieurs centaines de mètres la campagne environnante, et il y a habituellement une douce brise que l'on s'habitue à sentir et même à entendre à travers les arbres. Cependant, en ce matin ensoleillé, l'air n'était pas agité du moindre souffle, et on ne remarquait pas l'habituel mouvement des feuilles. Dans ce silence, je pris soudain conscience de bruits étranges et fascinants: bourdonnements, petits cris et douces plaintes, autant de sons doux rarement audibles, d'insectes, d'oiseaux, de petits animaux et de Dieu sait quoi encore, dissimulés sous le couvert des buissons environnants, s'adonnant à leur routine quotidienne. Un autre univers, un univers fascinant que nous nous efforçons encore de comprendre, et qui était là, presque sous mes pieds maladroits.

Le chalet de Simon était situé juste assez loin dans les bois pour n'être pas visible de Old Pound Road. Je m'attendais à trouver une solide construction en bois rond, semblable à toutes celles que l'on retrouve autour de nos lacs et de nos étangs, et quand je vis pour la première fois la petite cabane, avec ses murs extérieurs recouverts de simples bardeaux de bois, j'eus un choc. Simon Potter méritait à coup sûr mieux que cela. Il était sur le seuil, me saluant de la main et souriant à mon approche.

«Bienvenue, vieil ami, bienvenue dans mon humble demeure. Entrez, entrez!»

Plusieurs vieux pins et un bouleau incliné s'élevaient très près du chalet, et je vis que, de l'autre côté, le vieillard entretenait un potager relativement important. Me rappelant le lieu très encombré où j'avais eu mon bureau et lui son appartement, je l'embrassai et lui dit: «C'est quelque peu différent de Chicago, n'est-ce pas?

— Chicago est une ville très bien, monsieur Og, mais vous avez raison. Ce n'est pas la même chose, Dieu merci, quoique les problèmes des grandes villes aient tendance à se répandre de plus en plus, même jusqu'ici dans ce lieu isolé et tranquille. Saviez-vous que les importantes émissions d'oxyde de soufre, provenant d'aussi loin que des usines de l'Illinois, de même que le terrible oxyde d'hydrogène produit par les millions de voitures des villes de l'Est, nous arrivent jusqu'ici? Ici, à Langville, et dans tout le New Hampshire? Des nuages remplis d'émanations mortelles flottent sur la campagne puis suivent la côte est, accumulant chemin faisant de plus en plus de tonnes de poisons, pour les déposer où? Ici! Les pluies acides! Le smog! Nos arbres meurent désormais par milliers, le pin rouge surtout. La grande ville est finalement parvenue jusqu'à nous et il n'y a plus de place où se cacher... nulle part!»

«Henry David Thoreau disait que la nature était la préservation du monde.»

Le vieil homme acquiesça tristement. «Si monsieur Thoreau vivait de nos jours, il ferait beaucoup de bruit.»

Simon me suivit à l'intérieur, et je m'arrêtai brusquement après quelques pas. «Ça alors!» m'exclamai-je.

Il eut un mouvement de la tête; il semblait fier et enchanté. Les murs du chalet étaient recouverts de panneaux de pin clair et noueux. De longs rideaux de couleur bourgogne étaient pendus aux quatre fenêtres de la pièce unique dont le vieillard avait fait son foyer. Un lit étroit était adossé au mur de l'entrée, flanqué de tables de chevet sur lesquelles on voyait des livres et des lampes en étain. Un grand canapé en osier était adossé au mur de gauche, jouxtant un gros secrétaire fermé et une chaise pivotante. Un évier émaillé de couleur grise et une cuisinière trônaient sous la fenêtre arrière, à côté d'un réfrigérateur et d'une petite table avec deux chaises, et le quatrième mur était recouvert, du plancher au plafond, d'étagères remplies de livres, à l'exception d'une petite porte qui, pensai-je, devait donner accès à la salle de bains. Un petit poêle à bois de marque Jotul avait été installé en plein centre de la pièce sur d'épaisses tuiles rouges, son tuyau couleur argent se dressant jusqu'au plafond, pour se prolonger à l'extérieur. À côté du poêle était posé un support de laiton rempli de bois coupé, et derrière le canapé avaient été suspendues plusieurs gravures représentant des portraits. De chaque côté du lit il y avait de petites carpettes tissées. La pièce était immaculée.

«Il y a très peu de choses ici qui m'appartiennent, monsieur Og. Le mobilier, la literie, la vaisselle et l'argenterie étaient ici lorsque j'ai emménagé. Ce chalet est construit sur un grand terrain qui longe le côté ouest de Old Pound Road et appartient à une adorable vieille dame riche de Francestown. Son fils unique a passé plusieurs hivers ici alors qu'il faisait du ski tout près d'ici, à Crotched Mountain. Malheureusement, le garçon a été tué dans un accident de la circulation à Rome, il y a deux ans environ, et malgré sa réticence à louer ce chalet, elle a finalement accepté après que j'y aie mis tout mon charme en prenant le thé avec elle. C'est parfait pour moi. Chaleureux, confortable et paisible, ce qui me permet de réfléchir et d'écrire.

— Comment vous approvisionnez-vous, en victuailles, par exemple?

— Le petit magasin général du haut du village n'est qu'à 1,61 km d'ici environ. La promenade me fait beaucoup de bien. Je passe ma commande à monsieur Hammond, le propriétaire, et il me livre le tout dans son vieux camion lorsqu'il en a le temps. J'ai très peu de besoins, mon ami, et je suis encore fasciné par le fait que vous soyez venu vous installer à 10 minutes de marche d'ici.»

Je pointai du doigt le vieux plat double d'un bleu délavé en matière plastique posé sur le plancher près du réfrigérateur qui semblait contenir de la nourriture pour chien et de l'eau. «Vous avez un autre chien»?, demandai-je, me rappelant son ancien basset, Lazarus, qui avait été son constant compagnon à Chicago, 15 ans auparavant.

Simon baissa la tête. «Non. Ce vieux plat était celui de Lazarus. À Chicago, je le gardais toujours plein pour lui, et je le fais encore à sa mémoire. Le fait de le voir là durant la journée me réconforte, je me dis qu'il n'est pas très loin. Lazarus a vécu jusqu'à l'âge très respectable de 16 ans, et j'ai pensé à le remplacer après sa mort. Cependant, j'ai finalement décidé que cela ne serait pas juste pour le nouveau basset, car j'exigerais de lui les mêmes adorables qualités que j'appréciais chez Lazarus et, bien sûr, il n'y a pas deux chiens semblables. Ce plat est juste un hommage rendu à un vieux camarade, monsieur Og, bien que cela soit plutôt insignifiant comparé à celui que vous avez rendu à votre basset lorsqu'il vous a quitté. Votre ouvrage intitulé *Le plus grand vendeur du monde, suite et fin* est une œuvre magnifique, mais le fait de l'avoir dédié à Slippers, votre chien, a été ce que j'ai vu de plus touchant, et je suis persuadé de pouvoir vous en réciter le texte par cœur.

— Vous êtes très bon. Il n'y a pas beaucoup de livres qui aient été dédiés à des chiens, et je n'avais certainement pas prévu recevoir autant de lettres d'amis des animaux, qui me félicitaient d'avoir aimé à ce point mon compagnon aux longues oreilles, comme si cela m'avait demandé des efforts. Vers la fin de sa vie, ses articulations arrière étaient dans un tel état qu'il pouvait à peine se lever ou marcher, et je me souviens encore d'un soir, alors que nous habitions encore notre maison de Scottsdale, où je lui ai ouvert la porte de la cuisine pour le laisser se rendre, avec difficulté, sur la terrasse entourant notre piscine de grandeur relativement importante, pour respirer l'air frais.

«Après quelques minutes je ne l'ai plus surveillé et il semble qu'il se soit aventuré un peu trop près du bord de la piscine, sans se rendre compte des risques qu'il courait. Soudain ses pattes arrière ne l'ont plus soutenu et il est tombé sur le côté, à l'extrémité la plus profonde de la piscine! Simon, je ne sais absolument pas nager, alors je crois que c'était tout bonnement de l'amour: sans la moindre hésitation, je me suis jeté à l'eau, avec mes vêtements, mes chaussures, ma montre et mon portefeuille, j'ai attrapé mon chien de 27 kg, je l'ai sorti de l'eau et j'ai aussi réussi à sortir de la piscine même si je ne sais pas encore comment je m'y suis pris. En me mettant au lit, j'en tremblais encore.»

Simon me tapota l'épaule. «Chacun de nous, à sa manière, se remet de sa perte, mais chérit ses souvenirs. Comme il se doit.»

Je pointai le doigt en direction des quatre gravures encadrées sur le mur, au-dessus du téléviseur. Simon eut un mouvement de la tête et sourit. «Elles ne sont pas à moi. Elles appartiennent à la gentille propriétaire de ces lieux. Elle m'a assuré qu'elles avaient toutes plus de 100 ans.»

Je pus aisément reconnaître les portraits de Longfellow, Lincoln et Emerson, mais je n'arrivais pas à mettre un nom sur le quatrième visage. Je me levai et me rapprochai de la physionomie à la forte mâchoire qui me regardait patiemment, des boucles de cheveux foncés descendant sur son large front jusqu'à son œil droit. Il ressemblait à une personne de confiance, mais dont je n'aurais jamais voulu comme ennemi.

«Qui est-il? demandai-je.

— Monsieur Og, vous devriez avoir honte. Comment pouvez-vous habiter le New Hampshire et ne pas connaître Franklin Pierce, le seul homme de cet État à jamais avoir été président du pays? Je suppose que vous n'avez jamais visité la maison de

Pierce près d'ici, à Hillsborough. Vous devriez y aller. Connaissez-vous la vie de cet homme?»

Je fis non de la tête.

«Franklin Pierce a eu pour père un ex-gouverneur et brillant avocat. À l'âge de 25 ans seulement, il a été élu à la législature d'État du New Hampshire; il est devenu président de la Chambre à 27 ans et a été élu à la Chambre des représentants des États-Unis deux ans plus tard. Il est devenu le plus jeune sénateur des États-Unis à 33 ans, a occupé le rang de brigadier général pendant la guerre du Mexique et a été élu président des États-Unis en 1852 à l'âge de 48 ans.»

Simon me fixa intensément, la tête penchée, pour s'assurer de toute mon attention. J'acquiesçai et il poursuivit en disant: «L'histoire de Franklin Pierce est l'une des plus tristes de toute l'histoire politique des États-Unis. Dans des conditions différentes, il aurait pu être notre plus grand président et nous éviter la terrible et imminente tragédie de la Guerre civile, car il possédait à coup sûr l'intelligence, le courage et l'intégrité lui permettant de relever tous les défis, à l'exception d'un seul: la perte de tous ses êtres chers, un à un.

«Deux ans après son mariage avec Jane Appleton, en 1834, Franklin a eu un fils, Franklin, qui mourut trois jours après sa naissance. Sept ans plus tard leur second fils, Robert Frank, mourait du typhus alors qu'il n'avait que quatre ans.»

Le vieillard fit une pause et ferma les yeux, comme si son récit lui avait causé de la douleur. «Deux mois avant de devenir président, Franklin,

Jane et leur seul fils survivant, Benny, sont montés à bord d'un train à Andover, au Massachusetts, pour rentrer chez eux, à Concord. Ils avaient à peine parcouru 2 km lorsqu'une avarie entraîna le train au bas d'une haute pente. Le petit Benny fut tué sous les yeux de ses parents. Désormais, Franklin devrait supporter cette tragédie, s'occuper de sa femme qui semblait avoir perdu la raison, et se préparer à gouverner le pays. Jane Pierce refusa d'accompagner son mari à Washington pour son discours inaugural, et après son assermentation, malgré son immense chagrin, celui-ci prononça un discours éloquent et exemplaire sans jamais faire allusion à ses problèmes personnels.

«Jane parut rarement en public, et le nouveau président, qui luttait chaque jour avec les lourdes responsabilités de son poste, recevait peu d'encouragements et d'appuis de sa femme désormais très perturbée mentalement, qui passait la majeure partie de son temps dans sa chambre à écrire des lettres à son fils décédé. En plus d'avoir perdu ses trois fils, Franklin Pierce était devenu une sorte d'étranger pour sa femme. Elle ne lui pardonna jamais le décès de Benny. Elle lui rappelait à la moindre occasion que Dieu avait permis que le petit Benny meure pour que son père puisse se concentrer sur son travail de président.»

Le vieillard inspira profondément. «Monsieur Og, ce pays a toujours été presque impossible à gouverner, avec toutes les énormes responsabilités que cela représente, à moins de pouvoir compter sur les appuis et les encouragements constants d'une épouse attentionnée. Bien sûr, Franklin

Pierce ne pouvait compter sur une telle épouse, et malgré sa forte volonté et son audace, il perdit graduellement son énergie et son assurance. Des problèmes liés à la question de l'esclavage commençaient à créer une situation de violence dans plusieurs États. On parlait partout de guerre civile, et le président se montrait peu disposé à faire face à la crise imminente. Ses décisions tardaient à venir. Il hésitait. Il faisait des compromis chaque fois qu'il le pouvait. D'extrêmement prometteur, l'homme, désormais sans famille, était devenu timide et faible, et son parti lui assena le coup de grâce, lui infligea la pire des insultes en refusant de le nommer pour un second terme, phénomène très rare dans l'histoire de la politique américaine.»

Simon revint vers le canapé, s'assit à mes côtés et soupira profondément. Puis il dit: «Franklin rentra à Concord complètement brisé, et il vit, impuissant et coupable, le pays qu'il aimait s'enliser dans une guerre, une guerre qu'il aurait pu éviter si son destin l'avait moins accablé. Quant à Jane, jusqu'à sa mort, elle blâma presque chaque jour son mari pour le décès terrible de Benny. Plutôt que d'avoir été le grand président qu'il aurait pu devenir, Franklin Pierce semble avoir été le moins efficace de tous les leaders du pays. Quel terrible gaspillage! Jane mourut en 1863, et son conjoint toujours fidèle, qui l'avait protégée et aimée pendant presque 30 ans, l'a fait inhumer auprès de ses trois fils. Et il les rejoignit six ans plus tard. On lui fit des funérailles très modestes.»

Sur l'étagère supérieure d'une bibliothèque, une petite pendule faisait entendre son tic-tac sonore, et à l'extérieur on distinguait l'appel d'un corbeau. Après plusieurs minutes de silence, je demandai: «Simon, auriez-vous pu changer quoi que ce soit à la vie de cet homme si vous aviez vécu à cette époque?

— Je le crois. Dans le cas de la famille du président des États-Unis, bien sûr, la difficulté majeure est d'entrer en contact avec ces gens. Si l'on m'avait confié leur cas j'aurais consacré la majeure partie de mon temps et de mes efforts à tenter d'aider Jane. En l'aidant à accepter le passé auquel elle ne pouvait rien changer, j'aurais pu lui donner la force de faire face à l'avenir avec espoir et impatience, plutôt qu'avec terreur. Une fois l'attitude de Jane modifiée, Franklin aurait été débarrassé de ce terrible fardeau; si l'on avait aidé sa femme dès le début, le président aurait pu être suffisamment fort pour s'épargner — et épargner à la nation — tous ces problèmes. Bien sûr, il est facile de souligner ces solutions avec le recul. À la vérité, monsieur Og, nul ne sait ce qui aurait pu se produire si un chiffonnier avait été envoyé à la Maison-Blanche à l'époque.»

Simon se leva, marcha un peu dans la petite pièce et posa la main sur son secrétaire au couvercle rabattu. Il souleva doucement le couvercle, découvrant un intérieur rempli de papiers et de blocs de format régulier de couleur jaune. «Monsieur Og, dit-il en s'appuyant sur le vieux secrétaire, je crois que, au cours de votre carrière d'écrivain, vous avez été coauteur de deux livres n'est-ce pas?»

«Oui. J'ai été coauteur d'un livre intitulé *Cycles: The Mysterious Forces That Trigger Events* avec le professeur Edward Dewey, fondateur de la Fondation pour l'étude des cycles, et j'ai par la suite écrit *Le présent d'Acabar* en collaboration avec Buddy Kaye, un talentueux parolier auquel on doit plusieurs chansons populaires, notamment «Till the End of Time.

— Et comment avez-vous collaboré à la rédaction de ces ouvrages? Quel a été votre rôle?

— En fait, je m'y suis pris à peu près de la même façon dans les deux cas. Le professeur Dewey m'a envoyé un demi-camion rempli de documents portant sur ses découvertes quant aux cycles régissant la température, la Bourse, les éruptions solaires et des centaines d'autres phénomènes reliés à l'homme et à la nature. J'ai passé plus d'un an à lire et à transformer ces données plutôt techniques sous la forme d'un livre simple, en mes propres mots, qu'un lecteur allait pouvoir comprendre pour, du moins nous l'espérions apprécier ce sujet très fascinant. Puis j'ai expédié le manuscrit à monsieur Dewey, il a apporté plusieurs suggestions de changements, me l'a renvoyé, j'ai réécrit le tout, le lui ai renvoyé, j'ai reçu son approbation et le livre a été publié. Le professeur Dewey n'est malheureusement plus avec nous, mais on me dit que sa fondation, dont le siège social est en Californie, vend encore notre livre, 25 ans après sa première publication.

«En ce qui concerne Buddy Kaye, il m'a écrit pour me parler d'une histoire portant sur un jeune lapon qui avait fait voler un grand cerf-volant rouge, avait attrapé une étoile et avait amené cette étoile sur terre où elle était restée prise dans un arbre pour parler à notre jeune héros de la vie, de l'amour et de l'espoir. J'ai tellement aimé le concept que j'ai accepté d'écrire le livre, que j'ai envoyé à Buddy pour qu'il me suggère des changements; j'ai incorporé ces changements à l'ouvrage, puis je l'ai envoyé à mon éditeur, Bantam Books, qui l'a acheté. Il est encore disponible en édition de poche, plus de 12 ans plus tard.

— Cela est extraordinaire, monsieur Og. La plupart des livres disparaissent à jamais après un an environ, et pourtant vos 14 ouvrages sont encore disponibles après tout ce temps?»

Non, il n'y en a que 13 qui soient encore disponibles. J'ai écrit un jour un tout petit livre intitulé *U.S. in a Nutshell*, qui visait à expliquer tous ces grands nombres auxquels nous devons faire face quotidiennement. J'ai eu d'excellentes critiques, y compris, si je me souviens bien, une pleine page dans l'édition du dimanche du Sun de Baltimore, mais le livre n'a fait l'objet d'aucune promotion et mon nom n'était pas encore connu, alors nous n'en avons pas vendu beaucoup d'exemplaires.

— Alors vous avez vraiment produit un livre dont vous n'avez pas vendu des centaines de milliers d'exemplaires?

— C'est exact.»

Le vieillard sourit, comme s'il avait déjà su tout cela et qu'il voulait simplement m'agacer. Il soupira et m'indiqua du doigt la pile de papiers se trouvant sur son secrétaire. «J'ai presque passé un an à ce bureau, et j'ai plus de respect que jamais pour le métier d'écrivain. La semaine dernière j'ai révisé mes notes et je crois avoir abordé tous les principes nécessaires, peu nombreux, que l'on doit mettre en pratique pour modifier le cours de sa vie pour le meilleur. Je suis persuadé, monsieur Og, que vous êtes venu dans ce petit village pour une raison, plusieurs peut-être, même si vous n'en êtes pas conscient. L'une d'elles est, j'espère, de m'apporter votre aide.

«Peut-être vous rappellerez-vous qu'une femme, Shirley Anne Briggs, bonne écrivaine elle aussi, vous a écrit une lettre, il y a plusieurs années dans laquelle elle vous disait qu'il existe une terre de désespoir et une terre de foi... et un pont reliant ces deux terres: l'espoir. Elle vous disait aussi, mon ami, que vous appartenez au secteur manufacturier. Le secteur de l'espoir. Vous fournissez aux gens désespérés le chaînon de l'espoir qui permet d'atteindre la foi, et vous vous servez pour cela de l'outil le plus puissant qui nous ait été donné par Dieu: l'écriture.»

Bien que je reçoive plus de 100 lettres par semaine depuis plusieurs années, je me suis rappelé cette lettre touchante. Je ne me suis même pas donné la peine de demander à Simon comment il en avait eu connaissance.

Simon posa les mains sur mes épaules et dit: «Monsieur Og, toutes mes possessions, à l'exception de mes chers livres, pourraient entrer dans un simple sac de voyage, mais j'aimerais laisser quelque chose qui ait quelque valeur à tous les gens du monde que j'aime tellement. Auriez-vous, monsieur, l'obligeance de mettre à profit votre grand talent pour tenter de mettre un terme à ce mal qui balaie le monde? S'il vous plaît, aidez-moi à mettre au point mes indications pour un lendemain meilleur. Ce sera mon testament, mon cadeau au genre humain. Des idées simples, mais qui aient le pouvoir de redonner le goût à la vie.

— Ce sera pour moi un grand honneur que de travailler avec vous. Quand commençons-nous?

— Bientôt, très bientôt. Dans un mois, un peu moins peut-être, j'aurai fini de transcrire cette montagne de notes pour que vous soyez capable de comprendre ma terrible écriture. Je vous remettrai alors tout mon travail et vous pourrez faire de mes concepts et des dures leçons que la vie m'a données un vibrant manifeste doté du pouvoir de toucher tous les gens qui s'en inspireront.

— C'est toute une commande, mon vieil ami. Je ne sais pas...»

Pour la première fois, Simon retira la pipe de maïs éteinte du coin de sa bouche. Ses yeux étaient humides. Il inspira profondément et se mordilla la lèvre inférieure. «Vous pouvez y arriver, monsieur Og. Je suis certain que vous le pouvez, et je serais très honoré d'être votre coauteur, rien qu'une fois... avant...»

Un lourd silence se répandit dans la pièce. Je ne savais que dire, mais je demandai finalement: «Avez-vous trouvé un titre à ce trésor pouvant transformer la vie que nous allons produire?»

Il sourit d'un air timide. «J'espérais que vous m'aideriez à cet égard. Il semble que vos livres aient toujours le titre approprié, et je sais que, pour la plupart, ils sont de vous, qu'ils ne vous ont pas été suggérés par votre éditeur. Bien sûr, j'en ai imaginé plusieurs mais aucun d'eux ne contient la promesse, l'amour et la résolution qui, selon moi, sont nécessaires. Chargez-vous-en pour le moment, et nous verrons. En attendant, pendant que je mets de l'ordre dans mes textes, poursuivons nos rencontres du mardi matin à notre cher enclos. Bien sûr, ma porte vous est toujours ouverte, mais une merveilleuse sensation de paix et d'amour semble régner dans ce petit enclos de granit au bout de la route. Préparez-vous simplement à utiliser votre magie des mots pour moi, dans un mois environ. Cela vous convient-il?»

Je n'eus pas le loisir de répondre. Un grand bruit sourd se fit entendre, juste au-dessus de nos têtes, suivi d'un autre bruit qui ressemblait à celui d'une cannette de soda vide roulant sur le toit, puis atterrissant sur le gravier entourant la porte d'entrée. Simon demeura appuyé nonchalamment sur son vieux secrétaire, puis il leva les deux bras pour me rassurer: il savait exactement ce qui se passait à l'extérieur.

«Je me suis fait un nouvel ami il y a plusieurs semaines, et je crois qu'il est revenu me rendre visite une fois de plus. Venez, monsieur Og, et je ferai les présentations.»

C'était le plus gros oiseau que j'aie vu de ma vie et il était perché près du rebord du toit, la tête inclinée sur le côté. Il nous étudiait. Un bec jaune, d'aspect terrifiant, saillait d'une tête blanche ornée d'une ligne noire, et la majorité des plumes de son dos, de ses côtés et de son estomac étaient d'une couleur presque luminescente, d'un violet tirant sur le bleu. Il se balançait d'une patte à l'autre, qu'il avait minces et d'un brun verdâtre, et il déploya finalement ses ailes, qui devaient bien mesurer 1,52 m d'une extrémité à l'autre! Un son guttural montait en permanence de sa gorge; on aurait dit qu'il s'efforçait de prononcer la lettre r. Il semblait se tenir sur des échasses, avec une tête en équilibre sur un cou d'un mètre de longueur, mais il était très beau et très gracieux et il était clair qu'il n'avait pas peur de nous.

«Monsieur Og, voici mon ami très spécial. C'est un grand héron bleu, l'une des espèces d'oiseaux les plus aimées et les plus respectées au monde. Heureusement pour nous, il existe encore plusieurs régions de nidification pour ces créatures spéciales de Dieu, ici au New Hampshire. Celui-ci a son nid d'été dans un étang de castor non loin d'ici, dans les bois, tout au sommet d'un grand chêne mort qui se tient encore debout au milieu de l'étendue d'eau.

— Ce qu'il est grand! Est-ce un mâle?

— Oui. La femelle est un peu plus petite, mais avec le même plumage.

— Et vous êtes des amis tous les deux?

— Je suis fier de le dire. Il y a plusieurs semaines, alors que je faisais ma promenade matinale, j'ai aperçu ce merveilleux spécimen pris dans un épais buisson de vignes sauvages. Il émettait des cris terribles; il était de toute évidence paniqué, mais quand je me suis doucement approché de lui, il a brusquement cessé de crier et de se débattre et s'est mis à m'observer. Je n'étais plus qu'à quelques mètres de lui lorsque j'ai constaté qu'il pouvait me blesser avec son long bec dur, mais comme s'il avait su que j'allais le sauver, il est demeuré absolument immobile et calme lorsque j'ai commencé à tirer sur les branches de vignes résistantes qui l'emprisonnaient, et il s'est finalement libéré. Je me suis ensuite assis par terre et je l'ai regardé se remettre debout avec difficulté, déployer à plusieurs reprises ses immenses ailes, me regarder d'un œil, puis de l'autre, s'éloigner de 20 pas environ, me jeter un dernier coup d'œil puis s'envoler finalement, se faufiler entre les arbres et s'élever très haut dans les airs. Je ne m'attendais jamais à le revoir, car je m'efforce de ne jamais m'aventurer près de l'étang afin de ne pas perturber les oiseaux ni les castors.

— Il est plutôt spécial! Étonnant! Vous lui avez sans doute sauvé la vie, Simon!»

Simon se mit à rire. «Et maintenant je reçois sans cesse ma récompense. Presque chaque jour, mon ami survole le chalet pendant plusieurs minutes, se pose sur le toit de façon peu gracieuse, comme vous l'avez entendu, et laisse tomber de son bec un objet brillant qu'il a trouvé... une bouteille de verre, une boîte de conserve, un vieux peigne, et même, une fois, une cloche à vache. Il reste simplement sur place, comme il le fait maintenant, jusqu'à ce que j'accepte son cadeau, et il m'est même arrivé de le trouver m'attendant patiemment, lorsque je ne suis pas à la maison. Et dès que je l'ai remercié, il déploie ses ailes géantes et s'envole aussitôt. Regardez...»

Simon s'éloigna de moi et ramassa une boîte de conserve vide que le grand héron bleu venait tout juste d'apporter. Le vieillard l'agita à plusieurs reprises en direction de l'oiseau et cria: «Merci, mon grand ami, merci beaucoup!»

Je jure que l'oiseau l'a salué d'un mouvement de la tête avant de s'accroupir, de déployer ses ailes fantastiques et de s'envoler d'un seul coup.

Je posai mon bras sur l'épaule du vieillard et je dis: «Simon, tel que je vous connais... je m'étonne que vous n'ayez pas encore donné un nom à votre nouveau compagnon.

— Mais je lui en ai donné un, monsieur Og, je lui en ai donné un. Je ne l'avais pas encore sauvé de son terrible destin, que déjà je l'appelais Franklin.»

— IX —

Le mois de juin fut un cadeau du ciel. Pendant plusieurs jours, tout le sud du New Hampshire fut recouvert d'un beau ciel bleu, à l'exception de quelques petit nuages inoffensifs rappelant des boules d'ouate qui passaient doucement, chaque après-midi, en route vers l'océan. La température atteignit rarement 27°C, mais le soleil était intense, irradiant d'une forte lueur tout ce qu'il touchait, y compris les êtres humains peu affables. Les vents doux sentaient fort le pin et le gazon fraîchement tondu, et les nuits étaient propices au sommeil, parfois même avec une couverture.

Bette et moi faisions de notre mieux pour profiter de la belle température. Chaque mercredi, le matin, nous mettions deux valises à l'arrière de notre Grand Wagoneer et nous prenions la route. À l'une de ces occasions, nous nous sommes mis à la recherche d'antiquités de la période coloniale pour notre vieille ferme, d'une baratte de bois surtout qui allait mettre en valeur notre cuisine ancienne récemment réaménagée. Nous nous sommes rendus à l'est de Concord et nous avons passé la journée sur la route 9 où nous avons visité au moins une douzaine de boutiques d'antiquités et nous avons acheté plusieurs vieux objets telle une vieille casserole bosselée en cuivre bordée de fer blanc qui avait beaucoup de caractère, de grandes bobines antiques dont nous comptions nous faire des chandeliers, une reproduction de Wallace Nutting, des moules à chocolat en métal, des trépieds en fil de fer et même un petit pupitre d'écolier, mais pas de baratte à beurre. Nous avons passé la nuit dans une vieille maison coloniale près de Durham où l'on offrait le gîte et le couvert, et le lendemain nous avons tenté de visiter toutes les manufactures de Freeport, dans le Maine, de Calvin Klein à Osh-Kosh B'Gosh, et jusqu'au fascinant magasin L.L. Bean, ouvert 24 heures par jour.

Un autre mercredi, nous avons pris la direction opposée, vers le nord-ouest du New Hampshire et le Vermont. Nous sommes arrivés dans la petite ville de Charlotte, presque au bord du lac Champlain. À Charlotte, se trouve la Vermont Wildflower Farm, une entreprise prospère où l'on vend divers mélanges de semences de fleurs sauvages. Après qu'on nous eut remis le catalogue, Bette et moi nous nous sommes mis à discuter de la possibilité de donner à notre clairière, de plus en plus envahie par des buissons de toutes sortes, un nouveau visage. Nous avons passé la majeure partie de la journée sur cette ferme à nous promener parmi les 24 300 m^2 à couper le souffle de centaines de variétés de fleurs sauvages s'épanouissant parfois dans un incroyable éventail de couleurs: coquelicots d'un rouge flamboyant, fleurs de maïs bleu ciel, cosmos de couleur rose, blanche et dorée. À notre départ, nous étions déterminés à mettre en branle le «projet fleurs sauvages» dès le printemps suivant après avoir retourné la terre de notre clairière à la fin de l'automne.

Lors d'un autre voyage, nous nous sommes rendus à Boston et nous avons supporté une circulation terrible juste pour nous asseoir dans le vieux parc Fenway, applaudir les Red Sox et manger du maïs éclaté comme je l'avais fait à quelques rares occasions avec mon père, à l'époque où Joe Cronin cumulait les fonctions de gérant et d'arrê-court, et Jimmy Fox frappait coup de circuit sur coup de circuit par-dessus la clôture du champ gauche. Bien sûr, il m'a fallu faire un compromis pour m'offrir cette sortie. Le lendemain, Bette est allée faire des emplettes rue Washington et j'ai dû transporter ses paquets, ce qui n'avait rien d'une sinécure!

En général, nous préparions nos sorties de façon à rentrer à la ferme le vendredi soir. Le samedi et le dimanche, nous relaxions sur la longue et confortable terrasse que Curt et Ed avaient construite à l'arrière de notre maison, à lire, à prendre le déjeuner ou le lunch ou à écouter simplement la symphonie qui nous parvenait des bois tout près. Le lundi, nous faisions généralement l'épicerie ou, si le frigo était plein, j'essayais d'aller jouer au golf, soit sur un parcours peu étendu mais difficile à Hillsborough, qui portait bien son nom, Angus Lea, ou sur l'un des plus beaux parcours de 27 trous sur lesquels j'aie jamais joué, le Bretwood Golf Course à Keene. En général, je n'avais aucun mal à trouver un partenaire.

Et puis, il y avait toujours le mardi... le mardi matin. Simon et moi nous rencontrions ponctuellement au vieil enclos chaque semaine à 9 h du matin, et nous passions toujours au moins deux heures ensemble. Lors de l'une de nos premières rencontres, le vieillard se pencha, prit une pierre de granit de la grosseur du poing et la plaça dans ma main. «Monsieur Og, savez-vous quelle est cette matière gris-vert qui recouvre un côté de cette pierre?

— Un genre de tourbe?»

Il sourit et secoua la tête. «Non. C'est un parfait exemple de la façon dont la nature survit et s'épanouit lorsque l'homme la laisse suivre son cours. Cette petite croûte sèche en apparence est l'un des végétaux les plus complexes qui existent au monde. C'est du lichen, et le lichen existe sans doute depuis plus longtemps que l'homme, bien que, puisqu'il ne se fossilise pas, nous n'ayons aucune idée du lieu d'où il vient ou de son âge. Les lichens offrent de parfaits exemples de symbiose, de la façon dont vivent intimement liés deux organismes non semblables dans un rapport mutuellement bénéfique.

«Nous pouvons en tirer une leçon, car en fait, ce que l'on voit ce sont deux types de plantes, une algue et un champignon, qui existent pour leur avantage mutuel. Le champignon sert de gîte à l'algue et l'empêche de sécher, de manière qu'elle puisse produire des hydrocarbones dont il se nourrit. Cet organisme unique est si résistant qu'il parvient à survivre là où n'existe aucun autre type de végétation, notamment dans l'Arctique ou dans la

Vallée de la Mort. Les lichens sont utilisés dans la fabrication de papier tournesol et comme teinture pour les tweeds Harris, mais l'une de leur plus grande utilité demeure le fait qu'ils transforment lentement les pierres en terre dans laquelle s'épanouiront tous les autres végétaux. Ils sont vraiment miraculeux. Les champignons et les algues ne peuvent survivre qu'en comptant les uns sur les autres, et pourtant, ensemble, non seulement survivent-ils, mais ils fabriquent un monde meilleur pour chacun de nous.»

Je passai les doigts sur la rugueuse surface aquamarine de la pierre, qui me rappelait une vitre givrée. De petits morceaux tombèrent sur le sol.

«Voyez ces murs de pierre, monsieur Og. Comme vous pouvez le constater, plusieurs de ces pierres sont recouvertes de lichen. Lorsqu'il pleut, elles prennent une couleur plus foncée, le lichen absorbant plusieurs fois leur poids en eau. Un merveilleux mur des bienfaits de Dieu! Le lichen! Une autre création que peu de gens apprécient.»

Les sujets diversifiés que Simon abordait semblaient être des idées qui lui venaient au hasard et dont il se servait pour rendre la conversation intéressante, et pourtant, en me fondant sur mes expériences passées avec lui, je constatais qu'il essayait seulement de m'aider à comprendre son point de vue pour que je sois mieux en mesure de saisir ses pensées et ses sentiments lorsque je m'attaquerais à la rédaction de ses suggestions pour une vie meilleure. Ce qui ne cessait de me fasciner à propos du vieillard était son vaste éventail d'intérêts de même que sa constante connaissance des sujets d'actualité. Il aurait fait sauter la banque s'il avait participé à une émission de télévision telle que Jeopardy!

La préoccupation de Simon à propos des interventions de l'homme sur son environnement constituait l'essentiel de sa conversation, car il répétait sans cesse qu'il importe peu de transformer sa vie pour le meilleur si nous n'avons plus d'air frais à respirer, d'eau propre à boire ou de terre non empoisonnée à cultiver. Par un mardi matin brumeux, nous venions de nous rencontrer lorsqu'il se pencha en avant et me demanda: «Connaissez-vous cet énorme roc de granit, au nord, à Franconia Notch, rendu célèbre dans le monde entier par Nathaniel Hawthorne dans l'un de ses classiques intitulé «The Great Stone Face»?

— Bien sûr.

— Saviez-vous que les pluies acides sont en train de détruire rapidement cette merveille naturelle unique, et qu'aujourd'hui, lorsque de courageux travailleurs gravissent son visage ravagé pour y appliquer des produits qui retardent l'effet des pluies acides, le granit s'effrite littéralement entre leurs mains? Déjà le profil qui a inspiré Hawthorne et Daniel Webster a considérablement changé depuis leur époque, et je n'ose pas imaginer à quoi il ressemblera dans un siècle. À ce propos, monsieur Og, aimeriez-vous entendre ce que Daniel Webster a écrit à propos de cette merveille?

— Allez-y.»

Simon se leva, leva les mains dans un geste dramatique, et sa forte voix tonna de nouveau à travers les bois. «Les hommes affichent des enseignes révélatrices de leurs métiers respectifs; les cordonniers utilisent une énorme chaussure, les bijoutiers de grosses montres et les dentistes une dent dorée. Mais dans les montagnes du New Hampshire, Dieu tout-puissant a affiché un symbole pour rappeler qu'il fabrique des hommes!»

Maintenant que j'y repense, je regrette beaucoup de ne pas avoir eu un magnétophone avec moi lors de nos rencontres hebdomadaires, bien que je ne sois pas certain que Simon eut approuvé ce geste. Je prenais de nombreuses notes chaque semaine, dès mon retour à la maison, afin de conserver le plus possible de ses paroles.

Après avoir cité Daniel Webster et repris sa place près de moi sur le muret de pierre, il dit: «Nos usines rejettent tellement de produits toxiques et chimiques dans l'air qu'il en existe actuellement 4,5 kg pour chaque habitant de ce pays. Pensez-y! Les industries de l'État du Kansas, pour ne nommer que l'un des 50 États coupables, rejettent actuellement plus de 31 780 kg d'acide chlorocarbonique dans l'air chaque année. Ce gaz terrible a tué des milliers de personnes lorsqu'on l'a utilisé comme gaz neurotoxique au cours de la Première Guerre mondiale!

«Monsieur Og, il y a aujourd'hui 400 000 000 d'automobiles dans le monde, et elles rejettent plus de 500 000 000 de tonnes, je dis bien «tonnes» de gaz carbonique chaque année dans l'air que nous respirons. Pour compliquer cette tragédie, on estime qu'à moins que des mesures radicales ne soient prises très bientôt, ces données doubleront au cours des 20 prochaines années. Vous vous souvenez de l'importance de la pollution de l'air en Arizona, à Phœnix surtout, au cours des dernières années que vous y avez passées? Comme vous le savez déjà, j'en suis certain, la poussière, la suie produite par les moteurs diesels et les émissions toxiques de l'automobile constituent un problème d'une telle gravité là-bas que les conducteurs d'automobiles ne peuvent acheter chaque année, des mois d'octobre à février, que des carburants spéciaux à haute teneur en oxygène tels que le gazole.»

Simon dirigea son regard à travers les branches des arbres vers les quelques éclaircies qui laissaient voir le ciel bleu, soupira et poursuivit en disant: «Si le paradis se trouve au-dessus de nous, monsieur Og, nous blasphémons à coup sûr en le souillant de nos pires graffiti. Le gaz carbonique et le méthane provenant des carburants que nous brûlons s'accumulent en une épaisse carapace qui empêche la chaleur produite par la planète de se dissiper dans l'espace, et la température de la Terre s'élève lentement mais sûrement. Si cela se poursuit, un énorme désastre est inévitable. La calotte de glace du Pôle Nord se mettra à fondre, et le niveau des océans submergera au bout du compte toutes nos grandes villes portuaires: New York, la Nouvelle-Orléans, Boston, Norfolk et San Francisco; des milliers de fermes du Midwest, qui constituent notre grenier à blé, formeront un désert, et des pénuries d'eau potable dans ces régions telles que le Nevada et la Californie entraîneront des problèmes d'une inimaginable horreur. Vous croyez que tout cela est exagérément alarmiste? Jugez-en par vous-même. Les cinq années les plus chaudes de l'histoire de notre pays, monsieur Og, ont eu lieu au cours de la dernière décennie. Chacun de nous s'expose à de terribles conséquences si nous n'avons pas le courage d'agir.»

J'en apprenais beaucoup sur la Terre que nous souillons. Simon m'apprit qu'il y a plus de 17 000 cours d'eau au pays contaminés; la moitié de nos 6 000 dépotoirs seront comblés et fermés au cours de la prochaine décennie; nous détruisons chaque semaine plus de 500 000 arbres juste pour imprimer nos journaux du dimanche; notre eau potable est de plus en plus contaminée; le poisson, qui vit dans des eaux polluées et empoisonnées, n'est plus inspecté par le gouvernement fédéral; et plus de la moitié des Américains vivent dans des régions malsaines où les normes de salubrité de l'air ne sont pas respectées.»

Lors d'une autre rencontre du mardi, Simon cessa de parler de ce que nous faisons à la Terre pour parler de ce que nous nous faisons, ou de ce que nous ne nous faisons pas les uns aux autres. «Monsieur Og, saviez-vous que, dans notre merveilleux pays, nous nous assassinons les uns les autres à une cadence plus rapide que jamais dans notre histoire? Un meurtre est commis toutes les 24 minutes, pour un total de 22 000 par année! Les armes les plus utilisées pour commettre ces meurtres sont des armes à feu, et c'est facile à comprendre si l'on tient compte du fait que les citoyens possèdent plus de 200 000 000 de ces armes. Est-ce vraiment ainsi que nous voulons vivre? Avons-nous tous besoin d'un revolver pour survivre dans ce pays? J'aime la partie de vos conférences où vous regardez votre auditoire et vous demandez aux gens ce que nous nous faisons les uns aux autres, pour donner ensuite d'inquiétantes statistiques.»

Il eut un sourire timide et acquiesça. Puis il se leva, me tourna le dos, leva la tête comme si nous nous étions trouvés devant un vaste auditoire et récita, presque mot pour mot, cette portion de ma plus récente conférence:

«Que nous faisons-nous les uns aux autres? Le nombre des gens intoxiqués à l'héroïne, à la cocaïne et au crack croît plus vite que nos statistiques ne peuvent en tenir compte, et nous consommons actuellement plus d'alcool per capita que jamais au cours de toute notre histoire. Plus de 300 000 personnes ont tenté de se suicider l'an dernier dans notre beau pays. Cela équivaut à une ville entière! Chaque mois, on émet plus de 5 000 000 d'ordonnances pour du valium, et nous traitons plus de 4 000 nouveaux cas de maladie mentale chaque jour. Il doit certainement y avoir une meilleure façon de vivre. Elle existe, cette meilleure façon de vivre!»

Le vieillard se retourna et baissa les yeux vers moi avec appréhension. «Alors? Ai-je bien répété vos paroles?»

Il ne s'était pas trompé d'un mot. J'acquiesçai avec un geste d'impuissance et le laissai poursuivre, regrettant une fois encore de ne pouvoir enregistrer ses remarques éclairées sur notre monde.

«Près de 500 000 étudiants mettent un terme à leurs études collégiales chaque année, et il y a peut-être deux fois plus de gens qui reçoivent leur diplôme même s'ils peuvent à peine lire leur nom. La responsabilité de cette triste situation, qui reviendra nous hanter dans quelques années, incombe à la fois aux parents et à la collectivité.

«Plus de 14 000 000 d'enfants vivent actuellement sous le seuil de la pauvreté dans notre pays d'abondance, et un Afro-américain sur trois en âge de travailler est en chômage. Cela augure mal! Et pouvez-vous imaginer, monsieur Og, qu'en dépit de toutes les mises en garde des experts les plus éminents du domaine de la médecine, nous souffrons de plus en plus d'embonpoint, et plus de 50 000 000 d'Américains fument toujours! Le sida, cette maladie mortelle, qui est apparemment un produit de notre génération, a presque atteint des proportions épidémiques sur notre petite planète. Selon l'Organisation mondiale de la Santé, en l'an 2 000, nous risquons d'être aux prises avec 6 000 000 de cas de sida dans le monde, sans parler du nombre des porteurs du virus, qui pourrait atteindre 18 000 000.»

Simon fit une pause et, dans un geste qui m'était désormais familier, il fixa du regard ses mains jointes pendant plusieurs minutes, comme pour rassembler et organiser ses pensées. Puis, il posa les yeux sur moi et poursuivit en disant: «Nous menons une vie qui comporte tellement de tensions et d'incertitudes que, dans la poursuite de notre propre bien-être, nous avons oublié deux groupes de gens très spéciaux: les jeunes et les personnes âgées. Près d'un million d'adolescentes se retrouvent enceintes chaque année, le taux de suicide chez les adolescents a doublé au cours des 30 dernières années, les arrestations d'adolescents ont augmenté de 3 000 % depuis 1950, et la principale cause de mortalité chez les jeunes de 15 à 19 ans est le meurtre! Nous semons quelque chose de terrible. Et le problème chez nos personnes âgées est tout aussi sérieux. Nous vivons plus vieux maintenant, monsieur Og, comme nous en avons déjà parlé, et nous estimons à plus de 30 000 000 le nombre des personnes âgées qui vivront seules au début du siècle prochain. Pouvez-vous imaginer les difficultés que cette situation entraînera?

«De plus, le Urban Institute de Washington évalue qu'alors plus de 5 000 000 de personnes âgées auront besoin de soins en institution, soins qui sont actuellement limités et si coûteux que la plupart des gens qui en ont besoin de nos jours ne peuvent se les offrir. Ce qui est alarmant, c'est que ces conditions prévaudront, même si le gouvernement consacre déjà beaucoup plus d'argent aux personnes âgées qu'aux programmes portant sur la protection de l'environnement ou de l'éducation. Ce n'est pas encore assez! Pour compliquer encore davantage les choses, les origines de notre pays changent rapidement. Au début du prochain millénaire, en l'an 2 000, la majorité des Américains vivants, pour la première fois de notre histoire, sera de souche non européenne.

Simon respira profondément et secoua de nouveau la tête. «Un millénaire. Une période de 1 000 ans qui se termine et une autre qui commence. Saviez-vous, monsieur Og, qu'au cours des premières semaines de l'an 1 000, au début du présent millénaire, les gens de la plupart des pays civilisés étaient terrorisés: ils croyaient que la fin du monde était proche et le Jugement dernier imminent. Au cours des 1 000 dernières années, des hommes et des femmes ont parfois agi comme des bêtes et, à d'autres occasions, comme des anges. Nous avons fait de fantastiques progrès en médecine, en science et dans le domaine des transports, et pourtant nous savons très peu ou pas du tout comment nous entendre avec notre prochain ou comment penser et agir pour transformer notre monde pour le meilleur.

«Néanmoins, mon ami, je suis tout à fait persuadé qu'avant qu'il ne soit trop tard, le genre humain résoudra ses problèmes et vivra son véritable destin en transformant ce monde de douleur en un paradis sur terre, une terre remplie d'amour et de compréhension pour notre jeunesse, de tendresse et d'attention pour nos personnes âgées, de nourriture et d'abris pour nos pauvres, d'air pur, d'eau pure, de bonne santé pour tous, d'enfants rieurs, d'oiseaux qui chantent et de fierté pour tous les citoyens du monde. Le temps est venu, monsieur Og, de consacrer toutes nos énergies au recrutement d'une armée de chiffonniers, et de leur donner d'abord du courage, de l'assurance et de la fierté en leurs capacités et leurs possibilités.

«Alors, ils pourront entreprendre leur œuvre de missionnaires: ils pourront guider les masses et les amener à réparer et à reconstruire notre précieuse planète pour que tout le monde, sans exception, puisse vivre une vie meilleure au cours du prochain millénaire, et au-delà. Cependant, nous ne devons pas tarder! Demain sera peut-être trop tard. Trouvons d'abord nos chiffonniers, puis aidons-les à transformer leur propre vie en un univers de puissance, de réussite et de bonheur. Lorsqu'ils auront confiance en eux-mêmes et en leurs propres capacités, ils seront mieux outillés pour aider leurs semblables à changer notre monde pour le meilleur. Mais il reste si peu de temps...»

Simon mit la main dans la poche gauche de sa veste et en extirpa une cannette de soda vide. Puis il retira sa pipe de maïs éteinte de sa bouche de son autre main, et il la pointa en direction de la cannette. «Ce contenant d'aluminium est le cadeau que m'a remis ce matin mon ami Franklin, le grand héron bleu. Monsieur Og, si je jetais cette cannette dans les bois derrière nous et que personne n'y touche, combien de temps mettrait-elle, à votre avis, pour se décomposer?

— Je n'en ai pas la moindre idée, Simon.

— Selon les experts en la matière, au moins 100 ans! Je prie ardemment que vous et moi parvenions à concevoir un message bref, mais percutant qui puisse aider tous ceux qui cherchent un avenir prometteur, et les inspirer, ces chiffonniers de demain, afin qu'ils guident les masses dans la sauvegarde de notre planète et de ses habitants. Et je souhaite, bien sûr, que nos paroles survivent au moins aussi longtemps que ce petit contenant.»

— X —

Près des bois, derrière notre vieille maison de ferme, tout en étant suffisamment éloignés des pins pour profiter de l'ensoleillement toute la journée, il y avait sept plants de bleuets, tous plus grands que moi. À la mi-juillet, chaque branche était chargée de lourdes grappes de fruits mûrs et presque noirs, et deux de mes pâtisseries préférées étant les muffins aux bleuets et les tartes aux bleuets, Bette et moi avions fait un pacte. Elle s'engageait à les faire cuire, à condition que je les cueille; alors pendant plusieurs semaines je faisais de mon mieux pour que mon adorable femme demeure près de ses fourneaux.

Un samedi matin m'avait donné une abondante récolte, près de quatre litres de fruits délicieux, que je plaçai dans le réfrigérateur. Bette étant partie faire des courses à Concord, je m'enfermai dans mon studio pour répondre à un courrier très abondant. J'avais attendu qu'il pleuve pour m'occuper du courrier, mais il n'était pas tombé une seule goutte de pluie depuis plus de trois semaines, et je me sentais de plus en plus coupable de négliger mon courrier.

Comme toujours, je fus promptement et profondément absorbé par le contenu de chaque enveloppe que j'ouvrais, et auxquelles je m'efforçais de répondre de mon mieux, en remerciant simplement les gens pour leurs bonnes paroles à propos de l'un ou l'autre de mes livres, ou en leur donnant des avis et des conseils fondés sur mes propres expériences lorsque mes correspondants me disaient être au bord du découragement. Ce qui me fascinait et m'enchantait à propos de presque toutes les lettres reçues, c'était l'amabilité et l'ouverture d'esprit de mes correspondants. Ils avaient lu un livre de Mandino; je n'étais donc plus un étranger et l'on me traitait comme un ami que l'on respecte.

J'étais en train de changer un ruban trop usé de machine à écrire après avoir rédigé des lettres avec application pendant une heure environ, lorsque se produisit sur le toit le bruit assourdissant et inquiétant d'une chute. En quelques secondes, j'avais quitté mon fauteuil et mon studio et franchi à toute vitesse la porte d'entrée donnant sur la cuisine. J'étais convaincu qu'une grosse branche, qui pendait d'un vieux frêne juste au-dessus de la maison, était finalement tombée. Dans l'éclatant soleil du midi, je me rendis sur la pelouse pour examiner le toit de mon studio.

«Franklin, m'écriai-je après avoir éclaté de rire, tu dois absolument apprendre à atterrir avec plus d'adresse! En tant qu'ex-cadet de l'aviation, je tiens à te dire que s'il existait une école de pilotage pour les grands hérons bleus, tu aurais échoué il y a longtemps!»

L'oiseau géant éleva son bec et me regarda d'un air plutôt dédaigneux, puis il assura son équi-

154

libre sur le toit. Puis il étendit son long cou dans ma direction, cligna des yeux à plusieurs reprises, déploya ses ailes magnifiques et s'envola sans émettre le moindre son. Fasciné, je regardai Franklin s'élever toujours plus haut vers le nord puis disparaître derrière le sommet de très grands chênes.

«Bonjour, monsieur Og!»

Simon Potter. Je ne l'avais ni vu, ni entendu approcher, mais il était là, debout dans le petit chemin, directement derrière moi, une vieille valise de couleur brune dans une main et dans l'autre un long bâton sur lequel il s'appuyait. Je franchis la pelouse en courant et j'embrassai mon vieil ami. «Vous avez enfin décidé de venir me rendre visite? Je n'arrive pas à le croire... et vous n'êtes pas venu seul!»

Le vieil homme sourit puis retira de sa bouche son éternelle pipe de maïs éteinte. «Je me suis promis, voilà plusieurs semaines, qu'un jour j'aurais le plaisir de vous rendre visite chez vous, mais je tenais à me réserver ce grand honneur et ce plaisir pour le jour où j'aurais terminé la révision et la mise en ordre de mes découvertes sur la vie et le bonheur pour que vous puissiez tout corriger pour moi et le monde entier. J'ai appris, il y a longtemps, que la meilleure façon de me motiver en vue d'une tâche difficile ou d'un important défi est de me promettre une récompense quelconque, mais je ne puis m'accorder cette récompense qu'une fois mon entreprise menée à terme à ma satisfaction. Je venais de partir de chez moi pour vous rendre visite lorsque Franklin m'est arrivé avec un nouveau cadeau... un tournevis rouillé cette fois. Je l'ai remercié et j'ai pris Old Pound Road jusqu'au coin de votre rue, et j'ai remarqué qu'il volait au-dessus de ma tête, et je me suis demandé s'il allait me suivre jusqu'au bout. Il semble, monsieur Og, qu'il vous ait admis au sein de son petit cercle d'amis.

— C'est un honneur.»

Montrant du doigt la vieille valise que Simon transportait, je lui demandai: «Cela signifie-t-il que vous êtes prêt à me confier du travail?

— Si vous êtes toujours d'accord.»

Je passai mon bras autour de sa taille. «Je suis d'accord, si vous l'êtes aussi. Entrez chez moi, cher ami. Je suis désolé que Bette soit absente.»

Simon sourit. «Je sais. Cela vaut mieux pour elle.»

En pénétrant dans le vestibule, Simon s'arrêta et dit, pointant du doigt le livre et la plume destinés aux invités qui étaient posés sur le coffre d'apothicaire: «Jamais, de toute ma longue vie, je n'ai signé un livre d'invités»

Je lui tendis la plume et j'ouvris le livre. «Ce sera donc la première fois.

— Si vous le permettez.

— Je vous en prie.»

Je me plaçai à côté du vieil homme et je le regardai écrire, en caractères presque impeccables, *Simon Potter*. À côté de sa signature, plutôt que d'écrire son adresse, il ajouta: *La planète Terre*. Après avoir appuyé son grand bâton dans le coin du vestibule et déposé sa valise, je lui fis visiter toute la maison, des chambres du premier et de l'atelier de couture de Bette jusqu'au séjour, à la salle à manger, à la cuisine et au solarium. Au début, j'étais quelque peu gêné de montrer à l'homme des pièces qui étaient plus grandes que la totalité de sa maison, mais il semblait adorer cela et paraissait particulièrement fasciné par ce que Bette et moi appelions «la pièce Arizona.» Il s'agissait de l'immense pièce neuve que notre fils Dana avait conçue et qui abritait notre projecteur-téléviseur avec écran de 1,82 m de largeur, et nous avions vite compris, presque depuis le début, qu'il n'y avait rien à faire pour intégrer une telle pièce au décor campagnard du reste de la maison.

«Ainsi, avec ses draperies, ses tapis et son papier peint beige et bleu Wedgwood et ses fauteuils pouvant accommoder aisément 10 personnes, la pièce était devenue un théâtre miniature avec une allure de désert du sud-ouest accentuée par des poupées des Indiens Hopi, des sérigraphies et des aquarelles originales de Ted DeGrazia, de vieux fers à marquer le bétail, des porcelaines de notre ancienne maison de Scottsdale et la proclamation du gouverneur de l'Arizona, encadrée bien sûr, faisant du 3 mars 1989 la «journée Og Mandino.» J'avais même réussi à trouver plusieurs grandes variétés de cactus dans un supermarché de Concord, et je les avais transplantés dans un grand contenant en laiton placé dans un coin de la pièce sous une grande photographie sépia du regretté artiste Ted DeGrazia, de l'Arizona, photo qu'il m'avait dédicacée. Simon était particulièrement intrigué par le grand écran de télévision, alors je l'installai dans mon fauteuil favori, qui était le plus éloigné de l'écran, et j'allumai l'appareil. Il resta silencieux et je crois même qu'il ne sourcilla pas en regardant l'écran la bouche légèrement ouverte et avec une expression de joie quasi enfantine sur le visage, alors qu'une chaîne de Boston diffusait son bulletin d'informations de midi.

Finalement il soupira, se tapa sur les genoux de ses grandes mains, se leva et dit: «Monsieur Og, vous avez là une maison très spéciale, et je suis heureux pour Bette et vous. Si j'avais une telle maison je ne suis pas certain que je serais capable d'en sortir, comme vous le faites souvent lorsque vous donnez des conférences, vous dédicacez des livres et vous participez à des émissions de radio et de télévision dans tant de villes aux quatre coins du pays. Il est certain que vous ne le faites plus pour l'argent.»

Je souris, me disant qu'il en savait si long à mon sujet qu'il avait sans doute une bonne idée de l'importance de ma fortune.

«Simon, mon cher ami, c'est votre faute. Vous m'avez mis sur cette voie, il y a plusieurs années. J'essaie simplement de suivre vos traces, mais je ne serai jamais un aussi bon chiffonnier que vous, loin de là. Je me borne à essayer, et de temps à autre quelque chose se produit qui susciterait votre fierté.»

Simon se pencha vers moi et m'embrassa sur le front, en me disant doucement: «Je le sais, monsieur Og. Vous avez pris connaissance du secret du bonheur que les sages proclament depuis le début des temps. Henry Drummond a écrit qu'il n'y a pas de bonheur à posséder ou à recevoir, et que le bonheur consiste à donner; Sénèque nous disait que celui qui fait du bien à ses semblables se fait aussi du bien à lui-même, non seulement plus tard mais simultanément; et je crois que c'est Ralph Waldo Emerson qui nous rappelait à tous que le plus grand don que l'on puisse faire n'est pas celui de l'or, de l'argent ou des diamants, mais le don de soi. Il y a également, monsieur Og, cette définition de l'altruisme: se dévouer sans compter au bien-être des autres. Et avez-vous remarqué tout le bien que vous retirez en poursuivant votre mission et en aidant vos semblables?»

Nous avions de nouveau traversé la salle de séjour et nous étions près du vestibule. Je me penchai pour prendre la valise que Simon avait appuyée sur le mur, je la lui tendis et lui dis: «Il vous reste encore une pièce à voir: mon studio. Venez avec moi.»

Simon me suivit à travers la salle à manger et la cuisine, mais il s'arrêta après avoir fait un pas ou deux seulement sur l'épaisse moquette du studio. Il se tourna lentement vers la droite, examinant les murs de photos dédicacées par des gens célèbres, les plaques et les récompenses que j'avais reçues. Puis, posant de nouveau sa valise par terre, il se dirigea vers le premier mur de photos, mains derrière le dos, et parcourut lentement toute la pièce en longeant les murs, en silence. Il s'arrêta devant un article de journal encadré intitulé «Le plus grand auteur de livres d'aide personnelle du monde» et avança la tête pour l'examiner de plus près. Puis il se redressa et dit, dans un quasi-murmure: «Je ne peux en croire mes yeux! Bien sûr, je ne suis jamais entré dans votre studio de Scottsdale, mais dans votre livre intitulé *Une meilleure façon de vivre**, vous avez décrit cette pièce spéciale avec force détails.

— Oui, c'est exact.

— Mais, mais cette pièce, ce studio ici, dans votre maison du New Hampshire, ressemble point pour point à celui que vous décriviez dans ce livre, à une exception près: il se trouvait à Scottsdale!

— Simon, lorsque je rédigeais *Une meilleure façon de vivre*, je voulais à tout prix mettre mes lecteurs à l'aise afin qu'ils aient l'esprit ouvert et acceptent mes suggestions sur la façon de vivre une vie meilleure. Donc, dans le livre, je les invitais chez moi, je les faisais asseoir dans mon studio de Scottsdale et je faisais l'impossible pour qu'ils se croient chez moi en leur décrivant de manière très détaillée, à peu près tout ce qui se trouvait dans cette pièce spéciale où j'avais écrit neuf livres, jusqu'aux moindres souvenirs de mon passé. Ensuite, comme vous le savez, les événements se sont bousculés, des événements que je n'avais pas prévus, tel ce voyage à Boston qui s'est soldé par notre acquisition de cette vieille ferme au New Hampshire. Au moment de la publication de *Une meilleure façon de vivre*, le studio de Scottsdale n'existait plus, car nous avions vendu la maison et nous étions démé-

---

*   Publié aux éditions Un monde différent ltée.

nagés ici, et je me sentais très coupable concernant ce chapitre du livre, comme si j'avais été malhonnête envers les lecteurs qui avaient mis leur confiance en moi.»

Simon leva la main droite et amorça un geste circulaire. «Donc vous avez converti cette vieille pièce en une réplique exacte de ce que vous aviez décrit dans votre studio de Scottsdale? Fascinant!

— Autant que je l'ai pu. Cette merveilleuse pièce est un peu plus grande, et elle offre une vue imprenable sur les arbres derrière la maison, et les bibliothèques conçues par Dana sont beaucoup plus belles et plus spacieuses, sans compter que maintenant j'ai un âtre, mais toutes les photos et les souvenirs de ma vie se trouvent encore sur plusieurs de ces étagères, exactement comme en Arizona.»

Le vieillard soupira et secoua la tête avant de se diriger vers le mur de photos et de se mettre à examiner, son grand corps presque plié en deux, la photo dédicacée de Charles Lindbergh, l'album platine Off the Wall de Michæl Jackson avec son inscription gravée à mon endroit, ainsi que les autres photos. Ensuite, il prit, sur la table de salon en laiton et en onyx placée entre les deux canapés, un coffret de cassettes audio de couleur argent, rouge et blanc publié par Bantam et contenant *Le plus grand vendeur du monde*, l'agita devant mes yeux à plusieurs reprises et me demanda: «Vous rappelez-vous l'émotion intense que vous avez ressentie à votre arrivée au studio d'enregistrement RCA de New York en 1987, pour enregistrer ces cassettes avec des acteurs de Broadway?

— Vous savez même ce que je pensais et ce que je ressentais ce jour-là, il y a plusieurs années, et vous vous en souvenez?»

Simon haussa les épaules et sourit.

«D'accord, poursuivis-je, lui tapotant l'épaule et lui montrant l'un des canapés d'un geste de la main, mettons-nous à l'aise et parlez-moi de ma session d'enregistrement à New York.»

Pendant plusieurs secondes, il adopta cette pose familière, propice à la réflexion: il était assis, les coudes posés sur les genoux, regardant intensément ses mains jointes; il avait retiré de sa bouche sa pipe de maïs éteinte et l'avait posée sur la table.

«D'abord, monsieur Og, reportons-nous en 1945. Après avoir bien servi votre pays et avoir quitté l'aviation militaire, vous débarquez à New York avec, en poche, moins de 1 000 $ que vous aviez réussi à économiser pendant votre service, et vous louez un minuscule appartement d'une pièce juste à côté de Times Square, vous achetez une machine à écrire d'occasion et vous vous efforcez de réaliser votre rêve: devenir écrivain. Vous échouez. Rien de ce que vous écrivez, nouvelles, articles, potins, n'intéresse les responsables des magazines auxquels vous vous adressez, et finalement, presque à court d'argent, vous abandonnez votre rêve et vous rentrez, dégoûté et le cœur brisé, en Nouvelle-Angleterre, où vous êtes né.

«Plus de quatre décennies ont traversé le temps et nous sommes en 1987. Vous vous retrouvez de nouveau à New York, cette fois pour enregistrer une version audio de votre grand classique

Le plus grand vendeur du monde; il s'agit du premier d'une série d'enregistrements que vous ferez pour Bantam. Après avoir déjeuné à votre hôtel, le New York Hilton, vous vous retrouvez sur Avenue of the Americas. La matinée est très belle, alors vous franchissez à pied les huit pâtés de maisons où se trouvent, plus au sud, les studios d'enregistrement RCA, non loin du coin de la 44e rue Ouest. En arrivant à destination, vous avez le souffle un peu court, non pas à cause de votre promenade, mais parce que vous vous rendez compte peu à peu que cette rue, la 44e Ouest, est celle où vous avez vécu en 1945. Des émotions dont vous ne saisissez même pas la portée s'accumulent en vous alors que vous regardez la rue étroite, sale, achalandée et encombrée de détritus.

«Il semble que rien n'ait changé pendant toutes les années qui ont passé depuis que vous y habitiez! Bars mal fréquentés, charcuteries, restaurants mexicains et chinois, détritus sur les trottoirs et dans la rue, mendiants dans plusieurs entrées et le vieux théâtre Belasco, tout cela vous donne l'impression de voyager dans le temps. Le studio d'enregistrement semble presque déplacé avec ses portes et ses fenêtres en verre poli. Au-dessus de la porte de gauche, vous lisez le numéro 110. Vous faites de gros efforts pour vous rappeler. Quelle était l'adresse de votre immeuble? Pas de chance. Vous consultez votre montre. Vous avez encore 15 minutes. Vous avez le temps! Vous marchez lentement, presque d'un pas hésitant, sur le trottoir en mauvais état, en vous dirigeant vers Times Square. Finalement, vous vous arrêtez. Vous vous trouvez en face d'une vieille porte de verre, rouillée et rongée, et au-dessus de la porte, de vieux chiffres métalliques forment le numéro 58. Vous avez trouvé!

«C'est là où vous avez vécu et vous avez tant lutté, il y a tant d'années, et l'immeuble existe encore! Vous vous rapprochez de la vitre crasseuse, vous y collez la figure et vous essayez de voir à l'intérieur. Les voilà! Sur le mur vous apercevez les fentes des boîtes aux lettres familières, exactement telles que vous vous les rappelez, de même que l'escalier abrupt et étroit, maintenant recouvert de moquette. Vous vous reculez et, avant que vous ne vous rendiez vraiment compte de ce qui vous arrive, vous avez les larmes aux yeux!

Plus de 40 ans se sont écoulés. Le monde qui ne daignait pas reconnaître votre talent à l'époque vous honore désormais. Depuis ce temps, vous avez écrit 12 livres, vendu 20 000 000 d'exemplaires! Vous avez reçu la médaille d'or Napoleon Hill pour mérite littéraire, vous faites partie du Who's Who in the World! Des gens passent et regardent l'homme d'un certain âge qui pleure en public. Finalement, vous respirez profondément, vous vous essuyez les yeux et vous reprenez lentement la route qui vous conduira à la 44e rue Ouest, au studio. Et au moment où vous y arrivez, vous vous rendez compte que vous riez, à haute voix, et les passants vous regardent une fois de plus. C'est la vie! Vous venez de vous rendre compte que, à un niveau du moins, tout ce que vos ambitions et votre dur labeur vous ont donné, au cours des 40 dernières années, c'est de vous conduire dans la même rue, à un demi-pâté de maisons de l'endroit où vous avez entrepris de vous donner une vie meilleure! Mais vous levez quand même les yeux vers le ciel bleu, au-dessus des grands immeubles sales, et vous murmurez: «Merci, mon Dieu!» Puis, vous entrez au studio et vous allez travailler.»

J'avais tout écouté, abasourdi. Il n'avait pas raté un seul détail!

«Qui êtes-vous... vraiment?» demandai-je avant de me ressaisir.

Il y avait de l'amour, de la compassion et un peu de tristesse dans les grands yeux bruns de Simon lorsqu'il me regarda momentanément avant de se lever et de dire: «Permettez-moi de vous remettre les notes que j'ai rassemblées pour que vous puissiez vous mettre au travail.» Il saisit la valise qu'il avait posée près de mon bureau et retourna s'asseoir. Il ouvrit le vieux sac de cuir et en tira une mince liasse de papiers de couleurs et de formats divers, qu'il déposa sur la table de salon. Puis, il fixa son regard sur les papiers pendant plusieurs minutes avant de se tourner vers moi. «Cela ne semble pas beaucoup, dit-il doucement, pour toute une vie de travail.»

Je m'apprêtais à le corriger, à lui rappeler les milliers de vies qu'il avait sauvées et contribué à transformer, y compris la mienne, mais il demeurait silencieux. Simon Potter dirigeait désormais notre rencontre, et cela, nous le savions tous les deux. Je me calai dans mon fauteuil et j'écoutai.

«Monsieur Og, si l'on observe notre monde et les gens qui l'habitent, il est très facile d'être complètement désespéré. La pollution, la pauvreté, les taxes, les drogues, les guerres, la maladie et une criminalité de plus en plus présente nous assaillent quotidiennement, jusqu'à ce que le désespoir menace de devenir un mode de vie pour la plupart d'entre nous. Nous ne devons pas capituler! Malgré tout le mal, les échecs et la dégénérescence auxquels nos enfants et nous devons faire face, nous ne devons jamais oublier que nous possédons le pouvoir et la capacité de transformer notre propre vie et le monde qui nous entoure en un paradis sur terre. Nous ne devons jamais non plus perdre espoir, même lorsque nous devons lutter pour survivre dans un océan de larmes.

«Il y a cinq siècles, un prêtre français, homme très sage du nom de Pierre Charron, disait que le désespoir est semblable à des enfants gâtés qui, lorsqu'on les prive de l'un de leurs jouets, se mettent en colère et jettent leurs autres jouets au feu. Le désespoir se met en colère contre lui-même, devient son propre exécuteur et se venge de son infortune en s'en prenant à lui-même. Ne contemplons jamais cette tragique forme de suicide en abandonnant nos rêves!»

Le vieillard changea de posture et regarda par la fenêtre en direction des pins et des bouleaux tout près. Je gardais le silence. Le regard fixé sur les arbres, il dit: «Le désespoir naît de la peur, et il s'abat sur nous, n'importe lequel d'entre nous, lorsque nous ne croyons plus pouvoir faire face aux terribles problèmes de la vie. Lorsque nous atteignons cette étape, il est rare que nous constations que nous admettons aussi avoir perdu la foi en l'habileté de Dieu de nous venir en aide. Comme ce sera merveilleux, monsieur Og, lorsque nous aurons notre armée de chiffonniers confiants et inspirés, en mesure de sauver les gens de leurs échecs continuels de façon qu'ils puissent contribuer à bâtir un monde meilleur. Eh bien, ils existent déjà, attendant qu'on les tire des méandres de l'échec qui sont partout, alors commençons tout de suite, vous et moi. Peut-être pouvons-nous à tout le moins faire jaillir une petite flamme qui pourra allumer le canon signalant le début de la défaite des terribles tyrans que sont le désespoir, l'échec, la misère et tous les autres fléaux qui menacent de détruire le genre humain.»

Simon montra du doigt ses papiers posés sur la table de salon et soupira. «J'ai brûlé plusieurs grosses boîtes de mes écrits au cours des dernières semaines. Plus je les relisais, plus ils me rappelaient les milliers de livres d'aide actuellement disponibles sur tous les aspects de notre vie personnelle et professionnelle et sur toutes les règles techniques et scientifiques portant sur la gestion, la vente, le rôle de parents et la vie... tant de livres que, si nous tentions d'en lire et d'en comprendre un petit pourcentage seulement, nous n'aurions plus le temps de vivre et de faire quoi que ce soit. J'étais assis dans ma petite maison, me demandant ce que j'allais vous remettre et comment j'allais vous demander de traiter mes idées, et j'ai finalement conclu que notre mission la plus importante, à vous et à moi, est de tenter de rejoindre le plus de gens possible à l'aide d'un programme très simple qui, mis en pratique quotidiennement, donnera une nouvelle force et un sens nouveau à la vie de chacun. Si les gens adoptent nos résolutions et les mettent chaque jour en pratique, leur capacité de relever les défis et de faire face aux problèmes de leur vie et du monde qui les entoure se trouvera multipliée par 100, et ces gens pourront peut-être joindre les rangs des chiffonniers. Ensuite, ils livreront notre message à leurs semblables jour après jour, et les pires cauchemars du genre humain, qu'il s'agisse de la famine, des pluies acides, des personnes âgées démunies ou des nombreuses autres terreurs qui nous menacent, s'estomperont graduellement, pour être remplacés par leurs solutions.»

Il m'entraînait en terrain peu familier, et je voulais être certain de comprendre. Je lui dis: «En d'autres mots, Simon, vous voulez simplement fournir la clé qui permettra à chacun de renouveler sa foi et sa confiance en ses propres capacités. Une fois que la personne aura utilisé votre clé pour ouvrir cette porte d'or, il n'en tiendra qu'à elle de poursuivre son cheminement.»

Simon acquiesça vigoureusement de la tête. «Exactement! Exactement! Voilà une bonne analogie, monsieur Og. J'aimerais que vous jetiez un coup d'œil aux pensées que j'ai consignées par écrit, que vous déterminiez un format simple et que vous les transformiez en une déclaration brève mais puissante qui pourra, du moins je l'espère, être lue par tout le monde chaque matin. Ainsi, en quelques semaines seulement, on découvrira que la répétition constante de notre message permettra à l'esprit, au subconscient de l'assimiler, et qu'en définitive, il agira sur l'estime de soi, la foi, l'assurance, l'espoir et l'enthousiasme, suffisamment pour permettre de surmonter n'importe quelle difficulté. C'est tout ce que nous pouvons faire, et c'est aussi le mieux que nous puissions faire pour quiconque a besoin d'aide.

«Un sage a dit un jour que si on lave un chat il ne se lavera plus jamais. Pour apprendre la propreté à un chat, on doit le rouler dans la pire boue qui soit, puis le laisser à lui-même. Une fois qu'il se sera lavé, il sera devenu expert en la matière. Il en est de même de l'être humain. Nous pouvons lui indiquer la voie, monsieur Og, mais chacun doit, à sa manière, cheminer lui-même. Pour les gens qui ont besoin d'aide, c'est toujours la meilleure forme d'assistance qui soit: leur donner le courage, la foi et la volonté de s'aider eux-mêmes!»

Je devais paraître intrigué, car Simon se pencha vers moi et dit: «Monsieur Og, tout ce que nous essayons de faire, c'est de présenter les credos les plus puissants et les plus anciens de la vie sous la forme la plus brève et la plus simple qui soit. Si nous pouvons enseigner aux gens à soigner davantage leur santé, nous pouvons aussi leur apprendre à être plus heureux et à réussir davantage. Récemment, à l'École de médecine de l'Université Stanford, on a mis sur pied un programme destiné à éduquer le public sur les bonnes habitudes de santé et l'on a diffusé ce programme dans les médias et les écoles de deux villes de Californie, Monterey et Salinas. Ce programme comportait des conseils très simples sur la façon de réduire le taux de cholestérol, l'embonpoint et la tension artérielle, ainsi que sur la façon de cesser de fumer et d'accroître ses activités physiques. Après plusieurs mois, on a comparé les résultats obtenus avec les statistiques portant sur deux autres villes où il n'existait aucun programme, et Monterey et Salinas ont affiché un taux de réussite beaucoup plus élevé dans toutes les catégories. Il est certain que si nous pouvons montrer aux gens à acquérir des habitudes qui réduiront l'incidence des maladies cardiaques, nous pouvons aussi leur enseigner des habitudes qui accroîtront leur taux de réussite, habitudes qu'ils pourront transmettre à leur entourage, etc.

— Je suis prêt. Et maintenant dites-moi, mon vieil ami, y a-t-il un format particulier que vous aimeriez que je respecte?»

Simon hésita un peu et dit: «Je ne veux en aucun cas mettre un frein à votre talent créateur, monsieur Og. Tenez-vous-en simplement à un vocabulaire simple, puissant et peu étendu. Pour les gens que nous pouvons rejoindre, j'aimerais que notre produit fini soit le guide de leur vie, un havre d'espoir même, un ensemble de directives qui les guidera dans l'obscurité pour le reste de leurs jours.

— Simon, vous dites «pour les gens que nous pouvons rejoindre», alors comment comptez-vous répandre votre message lorsqu'il sera au point?»

Il allongea les bras et posa ses mains sur les miennes, de l'autre côté de la table de salon, et dit sans hésiter: «Par le biais d'un nouveau livre de vous, peut-être? Ainsi, grâce à vos nombreux lecteurs, nous pourrons semer des millions de bonnes graines.»

Je sentais battre mon cœur, mais je gardai le silence pendant plusieurs minutes. Puis je demandai: «Combien de temps m'accordez-vous?

— Prenez tout le temps qu'il vous faut, mon ami. Je sais à quel point vous détestez les échéances, et je n'ai aucunement l'intention de vous en imposer une. J'ai un grand sentiment d'impuissance, monsieur Og, car jamais je ne pourrai vous exprimer ma reconnaissance ou mes remerciements pour le temps que vous me consacrez et votre talent. Peut-être, si vous décidez d'écrire un livre...

— Votre amitié est la seule récompense dont j'aie besoin. Une autre chose. Avez-vous pensé à la longueur que vous souhaitez donner au texte?

— Il doit être très bref. Les messages les plus percutants de l'Histoire ont toujours été brefs et concis: les Dix commandements, le discours de Gettysburg de Lincoln, le Psaume de la vie de Longfellow... J'aimerais que les lecteurs puissent assimiler rapidement le message tout entier, et j'aimerais qu'ils le lisent tous les matins, sans exception, avant d'entreprendre les activités de la journée. Je sais que la vie est parfois difficile le matin, mais je sais aussi que la première heure de la journée est importante, alors essayez de faire en sorte que l'on puisse lire le message en six minutes ou moins. Et assurez-vous que l'on comprend qu'il doit être lu chaque matin si l'on veut transformer sa vie au-delà de toute espérance.

— Six minutes? Ce ne sera pas un travail facile», lui dis-je en brandissant ses notes.

«Nous n'avons pas le choix. Donnez-leur un long document et ils perdront tout intérêt, monsieur Og, et s'ils ne sont pas intéressés ils ne feront aucun effort pour lire le message chaque matin. La répétition est essentielle si l'on veut mettre le subconscient à contribution, et vous devez vous assurer que vos lecteurs comprennent cela.

— Mes lecteurs...?»

Il sourit. «Ceux du nouveau livre.»

J'étais pris. «D'accord. Fixons une échéance. À l'exception d'un discours à Hilton Head à l'intention des agents immobiliers de la Caroline du Sud la semaine prochaine, j'ai tout le mois d'août à moi. Que diriez-vous du lendemain de la fête du Travail... le 4 septembre?

— Excellent. C'est un mardi, bien sûr. Rencontrons-nous à l'heure habituelle, au vieil enclos.

— D'accord.

Aussitôt à l'extérieur, Simon murmura quelque chose et pointa le doigt en direction du ciel sombre, vers le sud. Montant au-dessus des arbres, au loin, se trouvait le plus gros et le plus coloré des arcs-en-ciel que j'avais vu de ma vie, et cet arc-en-ciel, contrairement à la majorité dont les couleurs s'estompent vers le sommet, poursuivait sa course et descendait au-delà des collines au loin, formant un demi-cercle presque parfait. Nous gardions tous deux le silence et nous observions, fascinés, ce magnifique éventail de couleurs, lorsque Simon se retourna et dit: «Savez-vous, monsieur Og, que la science ne peut expliquer totalement comment se forme un arc-en-ciel?»

Je fis signe que non et il poursuivit en disant: «Ce que nous savons, selon la Bible, c'est qu'à la suite du déluge, Dieu est apparu à Noé et a déclaré que l'arc-en-ciel que voyait Noé devait être perçu comme une promesse entre Dieu et tous les hommes. J'aime cette image. Chaque fois que je vois un arc-en-ciel, j'ai toujours le sentiment que Dieu nous fait savoir qu'il veille. Connaissez-vous le romancier anglais du XIXe siècle Edward Bulwer Lytton?

— Non.

— Dans l'œuvre de ce talentueux écrivain se trouve un paragraphe étonnant qui surpasse en valeur tous ses écrits et qui est toujours d'actualité malgré les années qui passent. C'est l'un de mes textes favoris. Aimeriez-vous l'entendre?

— Beaucoup.

— Monsieur Og, c'est aussi la meilleure description que j'aie jamais vue de ce que sera notre vie prochaine.

Simon inspira profondément, bomba son torse puissant, se plaça face à l'arc-en-ciel qui pâlissait maintenant, et récita, de sa voix de basse profonde: «Nous sommes nés pour un destin meilleur que celui que la terre nous réserve. Il y a un royaume où l'arc-en-ciel ne pâlit jamais, où les étoiles sont étalées devant nous comme des îles qui constellent l'océan et où les êtres qui défilent devant nos yeux, comme des ombres, demeureront en notre présence pour toujours.»

Le vieillard se retourna et m'embrassa, puis, reculant d'un pas selon son habitude, me tapota les joues et dit doucement: «Miçpa (anneau donné en gage d'amour) monsieur Og...

— Miçpa... et ces paroles spéciales, tirées de la bénédiction de la Genèse, chapitre 31, des paroles qui ont toujours eu tant d'importance à mes yeux...

«(...) Que Yahvé soit un guetteur entre moi et toi, quand nous ne serons plus en vue l'un de l'autre.»

— XI —

Au cours des cinq semaines suivantes, je passai de longues heures, presque chaque jour, à prendre connaissance des quelques notes que m'avait remises Simon Potter. Après avoir dégagé la surface de mon grand bureau, et m'être même débarrassé du téléphone et du répondeur, je disposai les feuillets de formats divers, que j'avais tirés de la valise du vieillard, en rangées qui recouvraient l'entière surface de bois. Puis, prenant une à une les notes de Simon, je les lisais et je pesais ses mots, et souvent j'ajoutais mes propres pensées, mes propres idées sur un bloc posé sur ma machine à écrire.

L'étude des observations très concises de Simon sur la façon de changer sa vie pour le meilleur venait appuyer une vieille conviction, répétée pendant des années dans le cadre d'innombrables interviews: personne n'avait réussi à mettre au point un principe nouveau et universel permettant de connaître le succès et le bonheur, et ce, depuis des milliers d'années. On peut trouver plusieurs bonnes règles pour une vie productive dans la littérature, les contes de fées et la Bible. Par exemple, le concept du «kilomètre additionnel» tiré du

Sermon sur la montagne, l'un des textes favoris de Simon et de moi-même, est aussi d'actualité de nos jours qu'à l'époque où César gouvernait le monde.

En parcourant ses notes, j'avais aussi le plaisir d'en apprendre davantage sur la très forte conviction de Simon voulant qu'une répétition quotidienne de ses projets et de ses aspirations, de même qu'une réaffirmation des gestes nécessaires à la réalisation de ces objectifs, constituent le chemin le plus efficace et le plus court vers la réussite. J'avais prôné des méthodes et des techniques simples du même genre dans tous mes livres. L'une des notes de Simon était ainsi rédigée: «Nous finissons tous par devenir ce sur quoi nous concentrons notre esprit, et avec le temps, nous croyons tout ce que nous répétons assez souvent. Par conséquent, si nous nous répétons nos buts, nos désirs et nos objectifs sous la forme de résolutions, jour après jour, cela se transmettra éventuellement à notre subconscient, pour se réaliser par la suite.

La clé de notre réussite consiste à nourrir notre subconscient, ce mystérieux second cerveau que nous possédons, à l'aide des nourritures positives appropriées, et ce, sans arrêt. L'homme ne comprend pas encore comment ni pourquoi ce processus est si efficace, mais des siècles de résultats positifs en ont établi la valeur de façon concluante. Et il y a un autre mystère qui est peut-être plus profond: pourquoi n'y a-t-il pas plus de gens qui font appel à ce processus puissant mais simple pour réaliser leurs rêves? La seule explication logique est qu'ils ne sont pas conscients de son existence. C'est bien triste. Il s'agit d'un puissant outil que les chiffonniers devraient constamment utiliser. Il y a encore tellement de travail à faire.»

Rassembler les puissantes paroles de Simon pour en faire un produit fini a nécessité moins de temps que prévu. Ses élégantes expressions et résolutions nécessitaient peu de corrections, et malgré les doutes qu'il affichait concernant ses propres capacités, je suis certain qu'il aurait pu terminer son projet sans aucune aide de ma part. Le vieux sage avait sans doute décidé de me faire participer à son projet pour avoir plus de facilité à me convaincre par la suite d'incorporer tout cela à un nouveau livre. Quoi qu'il en soit, le produit fini était celui de Simon, comme je l'avais prévu, et j'ai emprunté une expression qu'il avait souvent utilisée dans ses notes pour intituler son œuvre *Pour le reste de ma vie...*

Pour le reste de ma vie...

Pour le reste de ma vie, il y a deux jours dont je ne me soucierai plus.

Le premier, c'est hier avec toutes ses erreurs et ses larmes, ses folies et ses défaites. Hier est passé pour toujours et je ne puis rien y changer.

Et l'autre jour, c'est demain avec ses pièges et ses menaces, ses dangers et son mystère. Jusqu'à ce que le soleil se lève de nouveau, demain ne m'intéresse pas, car il n'est pas encore là.

Avec l'aide de Dieu et en concentrant mes efforts et mon énergie sur un jour à la fois, je peux réussir aujourd'hui! Ce n'est qu'en accumulant les fardeaux de ces deux terrifiantes éternités, hier et demain, que je risque de ployer sous la charge. Jamais plus! Ce jour m'appartient! C'est le seul qui existe! Il n'y a qu'aujourd'hui! Aujourd'hui est le reste de ma vie et je suis déterminé à mettre chaque heure à profit de la manière suivante...

Pour le reste de ma vie, en ce jour très spécial, mon Dieu, aidez-moi...

... à suivre le sage conseil de Jésus, de Confucius et de Zoroastre et à traiter tous les gens que je rencontrerai, amis ou ennemis, étrangers ou membres de la famille, comme je voudrais qu'ils me traitent.

... à maîtriser ma langue et mon comportement, et en évitant de trouver des défauts aux autres et de les insulter.

... à accueillir tous les gens que je rencontrerai avec le sourire plutôt qu'avec les sourcils froncés, et avec un mot d'encouragement plutôt qu'avec dédain ou, pire encore, en gardant le silence.

... à être sympathique et attentif aux chagrins et aux combats des autres, en comprenant que toute vie comporte des difficultés cachées, qu'elle semble exaltante ou triste.

... à manifester de la bonté pour chacun, en comprenant que la vie est trop courte pour être vindicatif ou malicieux, mesquin ou désagréable.

Pour le reste de ma vie, en ce jour très spécial, mon Dieu, aidez-moi...

... à me répéter sans cesse que, pour récolter plus de maïs à l'automne, je dois semer davantage au printemps.

... à comprendre que la vie me récompense toujours selon mes propres conditions, et que si je ne fais jamais rien ou je n'en fais jamais plus que ce pour quoi l'on me paie, je n'aurai jamais de raison d'exiger plus d'or.

... à toujours donner plus que ce que l'on attend de moi, que ce soit au travail, au jeu ou à la maison.

... à travailler avec enthousiasme et amour, quelle que soit ma tâche, en constatant que si je ne puis tirer de bonheur de mon travail, je ne saurai jamais ce qu'est le bonheur.

... à persévérer dans le travail que j'ai choisi, même lorsque les autres ont cessé de travailler, car maintenant je sais que l'ange du bonheur et la fortune ne m'attendent qu'au bout du kilomètre additionnel qu'il me reste à parcourir.

Pour le reste de ma vie, en ce jour très spécial, mon Dieu, aidez-moi...

... à me fixer des objectifs à réaliser avant la fin du jour, car maintenant je sais que le fait de laisser tout bonnement passer les heures ne me conduira qu'à une destination: le port du malheur.

... à me rendre compte qu'aucune route conduisant à la réussite n'est trop longue si j'avance bravement et sans hâte injustifiée, et qu'il n'y a pas de récompense trop distante si je m'y prépare maintenant, avec patience.

... à ne jamais perdre foi en un lendemain meilleur, car je sais que si je continue à frapper assez longtemps et assez fort à la porte, j'attirerai à coup sûr l'attention de quelqu'un.

... à me rappeler sans cesse que la réussite a toujours un prix et que je dois être prêt à peser les joies et les récompenses contre une précieuse portion de ma vie.

... à m'accrocher à mes rêves et à mes projets d'une vie meilleure, parce qu'en les abandonnant, même si j'existe encore, j'aurai cessé de vivre.

Pour le reste de ma vie, en ce jour très spécial, mon Dieu, aidez-moi...

... à m'efforcer de concrétiser ce qu'il y a de meilleur en moi, en sachant que je ne suis pas obligé de viser la richesse ou une réussite exceptionnelle, mais que je suis obligé de mettre à profit ce que j'ai de plus grand et de meilleur.

... à ne jamais succomber à la peur de l'échec, car maintenant je tournerai le regard vers les objectifs qu'il me reste à atteindre plutôt que de baisser les yeux vers les pièges qui me menacent constamment.

... à accueillir l'adversité comme une amie qui m'en apprendra bien plus à mon sujet que toute joyeuse aventure de succès et de bonne fortune.

... à me rappeler que les échecs, même lorsqu'ils se matérialisent, ne sont que des guides vers la réussite, puisque toute découverte de ce qui est faux m'amènera à rechercher le vrai, et que toute expérience me montrera des erreurs que j'éviterai soigneusement par la suite.

... à me réjouir de ce que je possède, même si ce n'est pas beaucoup, me rappelant constamment la légende de l'homme qui pleurait parce qu'il n'avait pas de chaussures, jusqu'à ce qu'un jour il rencontre un homme qui n'avait pas de pieds.

Pour le reste de ma vie, en ce jour très spécial, mon Dieu, aidez-moi...

... à m'accepter tel que je suis sans jamais laisser ma conscience ou mon sens du devoir me forcer à mener une vie pour le seul bénéfice des autres.

... à apprendre que je ne dois jamais considérer les louanges et l'amour des gens comme une mesure de ma valeur personnelle, puisque ma vraie valeur dépend beaucoup plus de la façon dont je me vois et de ma participation au monde qui m'est extérieur.

... à résister à la tentation de surpasser les réalisations des autres, puisque ce désir pathétique et pourtant répandu n'est rien d'autre qu'un signe d'insécurité et de faiblesse, et que je ne serai jamais moi-même si je laisse les autres m'imposer mes normes de vie.

... à agrémenter tous mes gestes, tant au travail que pendant mes loisirs, d'étincelles d'enthousiasme, de manière que mon emballement et mon zèle pour ce que je fais surpassent toutes les difficultés qui risquent de ralentir mes progrès.

... à me rappeler que je dois payer le prix, sous forme de temps et d'énergie, pour accroître ma valeur, car seul le fou reste oisif et attend que la réussite lui tombe du ciel, et maintenant je sais que la seule façon de commencer au sommet est de creuser un trou.

Pour le reste de ma vie, en ce jour plus important que tous les autres, mon Dieu, aidez-moi...

... à faire aux autres ce que je voudrais qu'ils me fassent, à donner davantage de ma personne, heure après heure, que ce que l'on attend de moi, à me fixer des buts et à m'accrocher à mes rêves, à chercher le côté positif de l'adversité, à exécuter toutes mes tâches avec enthousiasme et amour et, par-dessus tout, à être moi-même.

Aidez-moi, mon ami spécial, à réaliser ces objectifs, afin que je devienne un chiffonnier de valeur, travaillant en votre nom avec une force renouvelée et la sagesse de sauver les autres comme vous m'avez sauvé. Et par-dessus tout, demeurez près de moi tout au long de cette journée...

— XII —

À la fête du Travail, qui marquait habituellement la fin de l'été à Langville et dans tout le nord
de la Nouvelle-Angleterre, nous avons eu des tem-
pératures de près de 27° C, et le lendemain ressemblait davantage à une fraîche journée de printemps
qu'à une simple étape de plus vers l'équinoxe d'automne et les neiges de l'hiver.

J'avais fait six copies de mon texte final de *Pour
le reste de ma vie*. Après le déjeuner je plaçai trois
copies dans une chemise que je mis dans une
grande enveloppe brune, j'embrassai ma femme et
pris la direction, sur Blueberry Lane, du vieil enclos.

Comme d'habitude, Simon était déjà assis sur
sa partie favorite du muret de pierre lorsque j'arri-
vai et je franchis l'entrée arrière de l'enclos. Il aper-
çut tout de suite l'enveloppe brune et s'exclama:
«C'est fini! C'est fini!»

J'acquiesçai et je lui tendis l'enveloppe. Le
vieillard retira soigneusement la chemise de l'enveloppe, l'ouvrit et en retira l'un des exemplaires.
Je m'obligeais à regarder ailleurs, vers les bois, me

sentant comme un enfant inquiet qui attend, impuissant, que son professeur lui accorde une note, comme si son année se trouvait en jeu.

Quinze minutes au moins s'écoulèrent. Finalement je me tournai vers Simon. Il avait encore des feuillets dactylographiés entre les mains, mais il était évident qu'il regardait plus loin. Finalement, il leva la tête comme s'il venait de se rendre compte enfin, que j'étais en face de lui, et il dit d'une voix râpeuse: «C'est tout ce que j'ai eu l'audace de rêver, monsieur Og. Bref, certainement moins de six minutes de lecture, et néanmoins puissant. Sensible, mais résolu. Sage, mais très simple et direct. Si nous pouvons convaincre les gens qui ont perdu la foi en eux-mêmes et en leur avenir qu'ils peuvent immédiatement prendre des mesures pour se donner une vie meilleure, plus productive et beaucoup plus heureuse en lisant simplement ces résolutions élémentaires et en les assimilant quotidiennement dans leur subconscient, si nous pouvons le faire, nous pourrons sauver plusieurs vies, et peut-être même notre planète, à condition de recruter assez de chiffonniers.»

Le vieillard éleva ses larges mains à la hauteur de sa figure, les paumes collées comme pour une prière. «Soyez béni, monsieur Og. C'est là un cadeau inestimable.

— J'ai fait très peu de choses, Simon. Tous les principes et les paroles sont de vous. Je les ai juste rassemblés comme l'aurait fait toute bonne secrétaire, et ce fut pour moi un grand honneur que de faire partie de votre mission d'aide au genre humain. Je suis très chanceux.»

Simon haussa les épaules en signe d'impuissance. «J'aimerais vous exprimer mon appréciation pour ce que vous avez fait... mais j'ai peu de choses... je ne peux pas...»

Il fit une pause, la bouche à demi ouverte, sa main s'empara de la croix de bois suspendue autour de son cou par une large bande de cuir. Il ouvrit grand les yeux puis éleva la croix et la lanière au-dessus de sa tête.

«Voilà, mon ami», dit-il doucement. «Voilà une preuve de ma gratitude, et un symbole de notre grande amitié. Prenez-la!

— Non, non, Simon. Je ne peux pas. Je sais que vous portez cette croix depuis plusieurs années. Elle fait partie de vous. Je ne pourrais jamais accepter!

— Oui, dit-il, elle fait partie de moi. Elle a veillé sur moi pendant plusieurs années, mais je n'ai plus vraiment besoin de protection maintenant. Prenez-la. S'il vous plaît. Que cette partie de moi devienne une partie de vous. Et après tout, ce n'est pas comme si je manquais de tout. J'ai toujours ceci...» dit-il, tirant de sa poche sa vieille pipe de maïs. «Une autre vieille amie», murmura-t-il en la plaçant entre ses lèvres et en me faisant un sourire.

Je consultai ma montre. Dix heures venaient à peine de passer, et j'avais promis à la représentante de Bantam Books, Michelle Rapkin, que je serais chez moi à 10 h 30 pour parler de mon prochain livre. Elle aurait toute une surprise. Je me levai, tenant soigneusement la croix dans ma main droite. «Désolé, cher ami, dis-je, mais je dois partir. Le travail, vous comprenez. À bientôt. Merci pour ce trésor spécial. Je le garderai près de moi aussi longtemps que je vivrai. Je vous le promets.»

Simon sourit. «Rien de ce que vous pouvez dire ne peut me rendre plus heureux que cela. Oh, à ce propos, poursuivit-il en brandissant son enveloppe brune devant mes yeux, vous en avez fait d'autres copies pour vous?»

Je me mis à rire. «Oui, j'ai d'autres copies, et maintenant il nous reste à voir comment fabriquer un nouveau livre.

— Vous trouverez, dit-il, vous trouverez!»

Nous nous sommes embrassés à nouveau. Je le quittai assis sur le muret, la veste ouverte, lisant encore une fois ses paroles... ses paroles très spéciales... et me sentant très fier de ma petite contribution.

Par la suite, alors que Bette et moi prenions un léger repas dans la cuisine en parlant de ma rencontre matinale avec Simon, un grand bruit se produisit sur le toit, juste au-dessus de nos têtes. Quelques secondes plus tard, j'avais franchi la porte de la cuisine et je regardais sur le toit, et Franklin, le grand héron bleu, nous observait.

«Un de tes amis?» demanda Bette, le souffle coupé, ses merveilleux yeux bruns écarquillés plus que de coutume.

«Hé, Franklin, lui criai-je, heureux de te revoir. Qu'est-ce que tu transportes dans ton bec? Un cadeau pour moi?»

L'énorme oiseau fit plusieurs mouvements de la tête comme s'il avait compris mes paroles, puis il ouvrit son bec, et un petit objet roula bruyamment sur la pente du toit et atterrit sur le gazon, à nos pieds.

«Oh, mon Dieu! Non! Non! Non!

— Que se passe-t-il, chéri? Qu'est-ce que c'est?» s'écria Bette en s'approchant et en s'agenouillant à mes côtés.

Je pris l'objet tombé sur le gazon et je le tins doucement entre mes mains. «La pipe de maïs de Simon! Franklin m'a apporté la pipe de maïs de Simon! Mon Dieu, il est arrivé quelque chose au vieil homme!»

Je me levai, fis demi-tour et me mis à descendre Blueberry Lane en courant plus vite que je ne l'avais fait depuis des années.

Lorsque ma femme arriva au vieil enclos, elle me trouva assis sur le muret de granit, tenant entre mes bras le corps inerte de mon cher ami.

Plus tard, plusieurs jours plus tard, Bette me dit que j'avais sangloté sans pouvoir me maîtriser, en berçant le vieux corps de Simon dans mes bras, et tout ce qu'elle avait pu distinguer était les mots que je répétais sans cesse: «Miçpa... Miçpa... Miç-pa...»

CHEZ LE MÊME ÉDITEUR

Dans la même collection: